WOLFGANG KAYSER

KLEINE
DEUTSCHE VERSSCHULE

Einundzwanzigste Auflage
[201. bis 207. Tausend]

FRANCKE VERLAG BERN
UND MÜNCHEN

INHALT

VORWORT

«Bei den Alten gab es auch im eigentlichsten
Sinne Schulen der Poesie. Und ich will es
nicht leugnen, ich hege die Hoffnung, daß
dies noch jetzt möglich sei. Was ist wohl
ausführbarer und was zugleich wünschens-
würdiger als ein gründlicher Unterricht in
der metrischen Kunst?»

Fr. Schlegel, *Gespräch über die Poesie*

Das vorliegende Büchlein will den Leser in das Reich des
Verses führen und es ihm vertraut machen. Eine solche Kunde
vom Verse stößt, dessen ist sich der Verfasser bewußt, weithin
auf Mißtrauen oder Abneigung. Beklemmende Erinnerungen
an die Schule werden wach, an exotische, kaum aussprechbare
Namen, an ein System von Regeln und Vorschriften, das man
nur selten mit dem lebendigen Verse verbinden konnte, das
man nur selten brauchte. Solches Mißtrauen ist nicht unberechtigt; es ist die natürliche Folge einer ungemäßen Theorie:
entstand doch die Lehre vom Verse zur Zeit des Humanismus
mit dem Blick auf die klassische Metrik, so daß ihre Grundlagen von Beginn an zum deutschen Verse schief standen.
Zum anderen herrscht, und nun als eine Folge des Naturalismus, weithin eine Abneigung und Befangenheit der Kunde
wie dem Verse selber gegenüber. Aus dieser Zeit stammt die
Anekdote von dem Theaterbesucher, der sich an der Kasse
ängstlich erkundigt, ob das gespielte Drama etwa in Versen
sei. Ihm wird die tröstliche Antwort: Das sei es zwar, aber man
merke es nicht ... Wir wagen nicht zu entscheiden, ob die Zeit,
da «man» es nicht merken wollte, schon vorüber ist. Aber wir
glauben, daß sie im Schwinden ist. Nicht mehr nur Dichter, junge
Menschen und vereinzelte Liebhaber kennen und schätzen das
Eigene des Verses. Die Zeichen mehren sich, daß die Zahl derer,
die seinem Wesen und seiner Strenge huldigen, kräftig wächst.
Verse sollen wieder als Verse leben und empfunden werden.

Damit werden aber die Hoffnungen und Wünsche wieder wach, die zur Zeit der Romantik Friedrich Schlegel aussprach. Das vorliegende Büchlein möchte helfen, sie zu erfüllen. Zwar fehlt es nicht an Abrissen und Leitfäden vom deutschen Verse, aber sie können sich meist schon in der Begriffsbildung nicht freimachen von jener Tradition, die den Zusammenhang mit dem lebenden Verse nicht recht gefunden hat. Es fehlt andererseits nicht an großen, wissenschaftlichen Lehrbüchern, und man darf sagen, daß sich hier in den letzten Jahrzehnten die Grundlegung einer dem deutschen Vers gemäßen Theorie vollzogen hat. Aber man muß eigentlich im Plural von Grundlegungen sprechen; denn jeder der Verslehrer hat sich eine eigene Theorie gebildet, hat sich eine eigene Terminologie geschaffen, in deren oft undurchdringlichem Gestrüpp nicht nur der Liebhaber rettungslos stecken bleibt. Es war demgegenüber unser Bestreben, in möglichst verständlicher Sprache und Folge, ohne den Ballast einer exotischen Terminologie und ohne Tüfteleien, dafür unter dauernder Nachprüfung durch den Leser zusammenzustellen, was sich an Wesentlichem und Wissenswertem vom deutschen Verse sagen läßt. Ohne Voraussetzungen und Vorkenntnisse wollen wir uns mit dem Leser auf den Weg machen; je unbefangener an die Dinge herangegangen wird, desto besser wird es sein, und nur ein empfängliches, offenes Ohr erwarten wir und die Bereitwilligkeit, Verse als Verse gelten zu lassen.

Das Büchlein wendet sich an die Studierenden, die Kenntnisse vom Verse brauchen, wollen sie den Gegenständen ihrer Studien gerecht werden, und es wendet sich an die ernsten Liebhaber der Dichtkunst. Wie in der Musik ein Hörer, dem Aufbau und Stimmführung einer Bachschen Fuge durchsichtig werden, tiefer und reicher erlebt als ein Hörer, dem sie nur eine Folge von Tönen bleibt, so trägt auch eine rechte Kenntnis vom Verse zu einem reicheren und tieferen Erleben der dichterischen Werte bei. Das Büchlein wendet sich schließlich an die jungen Dichter. Denn *die* Zeit ist gewiß vorüber, da man meinte, der Dichter schaffe in völliger Freiheit und dürfe sich darin durch nichts beschränken lassen. Es gibt für den Dichter Handwerkliches, das er lernen muß, wie es für den Musiker, den Maler, den Bildhauer Handwerkliches gibt. Sie müssen es gelernt haben, ehe sie dem Gestalt geben können, was in ihnen nach Ausdruck sucht.

Die Angst um die schöpferische Freiheit ist verständlich, wenn man eines der alten «Lehrbücher» der Dichtkunst aufschlägt. Nur zu oft werden da mit dem Anspruch der Unfehlbarkeit Dogmen verkündet und Regeln von ewiger Geltung aufgestellt, die seit langem zerfallen sind – dank der Schöpfungen mutiger Dichter. Aber alle enthüllten Überheblichkeiten können nicht darüber täuschen, *daß* es eine gute Menge nützlicher und auch notwendiger Kenntnisse gibt, für den Dichter wie für jeden anderen Künstler. Wenn die Theorie aufmerksam auf die Dinge horcht, dann wird sie mit ihrer Besinnung dem Schaffenden wie dem Aufnehmenden dienen.

Dem praktischen Zweck entsprechend sind die historischen Hinweise möglichst kurz und die Proben aus älterer, vorgoethischer Zeit spärlich gehalten. Ebenso wurde auf jede Auseinandersetzung mit der wissenschaftlichen Literatur verzichtet, von der an dieser Stelle wenigstens Heuslers Deutsche Versgeschichte mit Dank genannt werden soll. Ein ausführliches Register soll das Nachschlagen erleichtern. Das Büchlein soll belehren, aber sein letzter Sinn ist, tauglich zu machen zur Freude an der Dichtkunst.

Das Manuskript erwuchs aus Vorlesungen und Übungen zur deutschen Verslehre, die der Verfasser an der Universität Lissabon abhielt.

ERSTES KAPITEL

VOM VERSE

DER VERS ALS ORDNUNG

Unser Auge sagt uns schnell, was Verse sind. Wenn auf einer Seite um das Gedruckte herum viel weißer Raum ist, dann haben wir es gewiß mit Versen zu tun.

Aber Verse wollen nicht als schönes Druckbild mit dem Auge erfaßt, sie wollen als wirksamer Klang mit dem Ohre gehört werden. Statt langer theoretischer Erörterungen, was ein Vers sei, wollen wir uns gleich ans Hören machen und wahrnehmen, was im Verse geschieht. Wir nehmen einen Prosasatz, wie er sich in einer Erzählung finden könnte:

In höchster Wut schrie er: Verflucht! Auf ewig soll der verdammt sein, der die Nachricht brachte!

Dieselben Worte lassen sich als Verse drucken und sprechen:

> In höchster Wut schrie er: Verflucht! Auf ewig
> Soll der verdammt sein, der die Nachricht brachte!

Das sind gewiß keine sehr schönen Verse, aber es sind welche; und wer laut gelesen hat, der kann nicht überhören, daß sich mancherlei beim Übergang von der Prosa zum Vers ereignet hat. Als Gesamteindruck drängt sich zunächst auf, daß eine Ordnung, eine Gliederung sich über das vorher etwas konfuse Durcheinander gelegt hat. Aber wir wollen noch genauer hinhorchen.

Das Tempo des Sprechens ist stellenweise bedeutend langsamer (soll der verdammt sein; der die Nachricht), stellenweise aber auch schneller geworden; die Pause hinter «Verflucht» ist nicht mehr so gedehnt. Im ganzen ist das Tempo gleichmäßiger geworden als in der unruhigen Prosa. Damit ist zugleich gesagt, daß die Zeitdauer der einzelnen Silben sich angenähert hat; solche krassen Unterschiede wie zwischen den Silben (ver)*flucht* und *der die* (Nachricht brachte) begegnen im Vers nicht mehr.

Auch die Stärkeunterschiede zwischen den einzelnen Silben sind gleichmäßiger geworden. Nicht als ob sie geschwunden wären: wir hören genau, welche Silben eine Betonung haben und welche nicht. Aber das Spannungsverhältnis ist jetzt geregelter. Innerhalb der betonten Silben selbst sind die Stärkeunterschiede geringfügiger: das (ver)flucht springt nicht mehr so heraus wie in der Prosa. Mit ihnen ist noch mehr vor sich gegangen und nun das Wesentlichste für den Vers: gerade in ihnen spüren wir am sinnfälligsten die Gegenwart einer Ordnung. Es sind nicht nur ganz neue Betonungen da, die wir vorher nicht wahrnahmen: wir hören jetzt eine Regelmäßigkeit. Die Betonungen kehren in fast gleichen Abständen wieder, wir hören sie sozusagen schon voraus, wir erwarten, wir verlangen sie. So sehr leben wir schon im Bann jener Ordnung, die den Vers beseelt. Tatsächlich beruht hierin das Eigene im Wesen des Verses und der grundsätzliche Unterschied zu aller Prosa: daß die Betonungen in nahezu regelmäßiger Abfolge wiederkehren. (Wir haben hier nur den deutschen Vers im Ohre; in anderen Verssystemen verwirklicht sich die regelmäßige Wiederkehr herausgehobener Sprechteile auf andere Weise.)

Wir hätten ein schlichteres Stück Prosa wählen können, dessen Tempo einheitlicher, dessen Betonungen gleichmäßiger, dessen Niveauunterschiede zwischen Betonungen und Unbetonungen ausgeglichener gewesen wären, wie es ja an solcher unauffälligen Prosa nicht fehlt: immer aber wären die Abstände zwischen den Betonungen völlig unregelmäßig gewesen und hätten nie jene Vorerwartung aufkommen lassen, hätten nie etwas von jener höheren, geheimnisvollen Ordnung spüren lassen, die uns beim Versehören überkommt.

Denn es ist etwas Geheimnisvolles um die höhere Ordnung des Verses. Die nüchterne und unbestreitbare Feststellung des Experiments, daß die Betonungen ungefähr im Abstande von nicht ganz einer Sekunde wiederkehren, enträtselt die Ordnung nicht, eher im Gegenteil. Denn nun wird ihr Bezug zu der Ordnung offenbar, die wir in uns tragen: zu dem Pulsschlag

unseres Herzens. Die Gliederung des Verses ist nicht willkür-
lich, und der Versuch, sprachliche Reihen zu bilden, in denen
die Betonungen erst nach mehreren Sekunden wiederkehrten,
würde ebenso scheitern wie der Versuch, in langen Abständen
fallende Wassertropfen zu gliedern. Daß wir von einem Rhythmus im Ablauf von Jahreszeiten oder auch nur des Tages
sprechen, ist eine Übertragung auf Vorgänge, hinter denen
auf jeden Fall nicht die Erlebnisse einer echten rhythmischen
Reihe stehen. Ihr Erleben ist an Wesenszüge unserer menschlichen Natur gebunden. Nur weil wir jene Ordnung schon in
uns tragen, wirken sprachliche Fügungen wie «Buch der Bil-
der», «Jahr der Seele», «Land und Meer» rhythmisch auf uns.
Denn an sich gibt es dabei keine Folge von gleichen Abständen,
und die Worte sind vorüber, ehe sich eine Ordnung bildete,
in die wir einschwingen könnten. Daß dieses Einschwingen
aber tatsächlich erfolgt, liegt eben darin begründet, daß wir die
Gliederung nicht erst abzuhören brauchen, sondern schon be-
sitzen. Zwei betonte, sich im Abstand von fast einer Sekunde
folgende Silben haben genügt, um sie zu erwecken.

Man kommt an dieser Stelle in Versuchung, den ausschwär-
menden Gedanken nachzugehen, wieweit die ganze «höhere»
Welt der Verssprache, wieweit der Aufbau ihrer höheren Ordnungen auf eingeborenen Anlagen gründet und eben keine
Flucht in eine unverbindliche Welt des schönen Scheins darstellt. Aber eine solche Philosophie des Verses stände im Ein-
leitungskapitel einer zweckgerichteten Versschule fehl am
Platze, und so wollen wir nur noch einige Beobachtungen fest-
halten, die sich beim Vergleich jener beiden Verszeilen mit
ihrer Prosagrundlage aufdrängen. Daß die Verse, die entstan-
den, so schlecht waren, liegt gewiß daran, daß die klangliche
Ordnung nachträglich und nur von außen über ein schon be-
reitliegendes Stück Sprache kam. Offensichtlich strebt die Versordnung danach, sich von Beginn an auch die Sprachbedeutun-
gen einzuformen und einzufügen. Ein Dichter, der sich erst
seine Gedanken in vollständigen Prosasätzen aufzeichnet, um
sie nachher in Verse umzugießen, erleichtert sich sein Geschäft

nicht, wenn man unter seinem Geschäft eben die Schaffung in sich geschlossener, unverrückbarer Verse ansieht. Sein Werk wirkt dann leicht als locker verbundene Zweiheit und der Vers als schlechtsitzender Anzug. So unschön also jene beiden Versreihen waren, sie lassen uns trotzdem erkennen, daß der Gewinn an Ordnung mit einem Verlust auf der anderen Seite erkauft war, einem runden und buchungsfähigen Verlust.

Was sich verlor, war ein gut Teil der Anschaulichkeit, Unmittelbarkeit und Ausdruckskraft. Die «höchste» Wut des Verses ist lange nicht mehr so hoch wie in der Prosa, der Fluch ist nicht mehr so laut und schwer und vor allem nicht mehr so nah. Menschen und Dinge und Vorgänge sind im Vers niemals so nah wie in der Prosa, und eine unbekleidete Schöne der Poesie ist niemals so nackend wie eine prosaische. Es ist mit dem Aufstieg in die «höheren» Ordnungen ein Verlust an Realität eingetreten. Schon die Bedeutungen sind nicht mehr so klar und scharf; die bedeuteten Dinge sind verschwommener, unfester, aber entfaltungsreicher und geheimnisvoller geworden. So sind auch durch die Ordnung, in der sie nun stehen, andere Bezüge zwischen ihnen lebendig und wirksam geworden, während die logischen Bezüge, in die wir sonst die Dinge zu stellen pflegen, stark verblassen. Gewiß gibt es dabei Gradunterschiede, etwa zwischen einem Lied und einem gedanklichen Gedicht – aber immer hat der Vers die Kraft, uns Dinge als «in Ordnung» erscheinen zu lassen, die uns in der Prosa völlig auseinander brächen.

VERSUS: DAS FURCHENPAAR

Wir kehren noch einmal zu unserem ersten Beispiel zurück. Wenn wir nur die Worte sprächen:

In höchster Wut schrie er: Verflucht!

so wäre der Verscharakter, selbst wenn wir noch so versmäßig betonten, unbestimmter als innerhalb des vollständigen Zitats. Es geht uns bei den Sprichwörtern ähnlich. «Ehrlichkeit währt am längsten» – das könnte ein Vers sein, den wir aber nicht so empfinden. Es liegt nicht an der Zahl der Betonungen. Jener Satz hat vier Betonungen und ist noch kein deutlicher Vers; die Zeile «Was Hänschen nicht lernt, lernt Hans nimmermehr» hat auch nur vier Hebungen und wirkt ungleich vershafter. Während wir in den anderen Beispielen gleichsam nur ein Stück in einer Richtung gingen, gehen wir hier hin und ebenso weit wieder zurück. Daß diese Kehre für den Vers wesentlich ist, besagt der Name selbst; denn das lateinische Wort *versus* bedeutet Umkehr, Kehre. Es ist das Bild des pflügenden Bauern, das da vor uns aufsteigt, wie er seine Furche zieht und nun umdreht: *versus* ist das Furchenpaar.

Das Wort nahm zugleich, einer Nebenbedeutung des Lateinischen folgend, den Sinn von «Spruch» an, wie wir es ja heute noch in der Wendung «ich kann mir keinen Vers darauf machen» gebrauchen. Man dachte bei diesen Sprüchen freilich an Bibelstellen, zumal an die Sätze der Psalmen. Daraus erklärt sich, daß in der kirchlichen Sprache Vers noch heute im Sinne von Strophe verwendet wird, da in den ersten Kirchenliedern eine Psalmenstelle in einer ganzen Strophe Raum fand. In der Sprache der Metrik ist seit dem 17. Jahrhundert die Bedeutung von Vers als metrisch geregelte Zeile fest geworden, und in diesem Sinne wollen wir es hier allein gebrauchen.

Gewiß ist die Zeile, wie schon das Druckbild und die üblicherweise großen Anfangsbuchstaben ausweisen, eine Ordnungseinheit. Aber wie wir deutlich spürten, drängt sie über sich hinaus. Es offenbart sich hier, was auch in der Sprache und wohl in aller Ordnung sichtbar wird: daß ein ständiges Aufsteigen zu höheren Einheiten stattfindet, wodurch zu den bisherigen Leistungen noch neue funktionale Werte kommen. Silben, die lauten, Worte, die bedeuten, Sätze, die meinen, lassen sich in der Sprache als niedere Einheiten sondern; aber lebendige Sprache entsteht doch erst beim Aufstieg zur «Rede», wenn die Sätze, in denen die Silben und Wörter aufgehoben sind, ihrerseits durch den Eintritt in eine höhere Ordnung Leben gewinnen. Beispielssätze aus grammatischen Sprachübungen sind tot, ihnen fehlt eine Dimension gegenüber ihren Brüdern im Zusammenhang der lebenden Rede. Die einzelne Zeile steht auf der Stufe des Satzes: sie hebt schon manche niedere Einheiten in sich auf; zum rechten Verscharakter aber fehlt es ihr noch, sie weist über sich hinaus.

Hier nun aber scheiden sich die Wege. Es gibt Werke, die keine äußerlich kenntlichen höheren Verseinheiten verwenden, die also einfach die Zeilen aneinander reihen. Und es gibt Werke, die die Zeile in umfassenderen Gebilden aufheben, die erst ihrerseits versautonom sind. Zu den ersten gehören Epen in Hexametern, Dramen in fünffüßigen Jamben und so fort; zu den anderen vor allem lyrische Gedichte, und ihre höhere Einheit ist die Strophe.

Für die erste Gruppe wäre es der dichterische Tod, wenn der Zeile mehr zugemutet würde, als sie leisten kann. Wenn sie nämlich als letzte klangliche Einheit behandelt und ihr Über-sich-Hinausdrängen nicht beachtet würde. Praktisch bedeutete das, jedes Zeilenende wäre zugleich ein starkes Satzende, und Bindemittel zwischen den Zeilen gäbe es nicht. Wir bringen als eine Probe solcher Versündigung gegen den Geist des Verses einige Zeilen aus Lenaus *Faust*, die trotz des bindenden Reimes an Monotonie sterben:

> Wir wandeln auf dem Schifflein hin und her,
> Das Schifflein jagt dahin im weiten Meer,
> Das Meer ist mit den Winden auf der Flucht,
> Die Erde samt dem Schifflein, Meer und Winden,
> Schießt durch den weiten Himmelsraum und sucht
> In ewger Leidenschaft und kann's nicht finden.
> Mir ist das Meer vertrauter als das Land;
> Hier rauscht es unbestreitbar in die Seele,
> Was dort ich leise, dunkel nur empfand,
> Daß die Natur auch ewge Sehnsucht quäle ...

Der Leser wird gespürt haben, daß er die Zeile «hier rauscht es» zweimal lesen mußte; durch die Eintönigkeit schon bezwungen, setzt man zunächst hinter «Seele» eine abgrundtiefe Pause, in der die Bindung zum nächsten Vers (Hier ... dort) verschwindet. Aus einem anderen Bild, denn Lenaus *Faust* ist voll davon:

14

Faust: Ich werde rasend, ich verschmachte,
      Wenn länger ich das Weib betrachte;
      Und doch versagt mir der Entschluß,
      Sie anzugehn mit meinem Gruß.
Mephisto: Ein wunderlich Geschlecht fürwahr,
      Die Brut vom ersten Menschenpaar!
      Der mit der Höll es hat gewagt,
      Vor einem Weiblein jetzt verzagt,
      Das viel zwar hat an Leibeszierden,
      Doch zehnmal mehr noch an Begierden.

Lenaus *Faust* mag geistesgeschichtlich interessant sein, als dichterisches Kunstwerk kann es niemand auferwecken. Es liegt nicht an den kurzen Zeilen; die deutsche Literatur ist reich an längeren oder kürzeren Werken mit vierhebigen Zeilen, die nicht einschläfernd wirken. Wir geben nur eine Probe aus Herders *Cid*:

      Vorm Altare der Gadea
      Knieend, seine Hand geleget
      Auf das Evangelium
      Und ein Eisenschloß und eine
      Leimrut: so, das Haupt entblößt,
      So erwartet Don Alfonso
      Seinen Eidschwur von dem Cid ...

Die handgreiflichsten Mittel, um dem Fluß der Verse das nötige Gefälle zu wahren, sind Zeilensprung (Enjambement), d. h. der Sinn springt unmittelbar in die nächste Zeile (eine/ Leimrut), oder starke Pausen im Innern der Zeile (knieend; Leimrut). Für den dramatischen und gelegentlich auch für den epischen Dichter kommt noch die Verteilung einer Zeile auf mehrere Sprecher hinzu. Aber es gibt feinere Mittel, und geschickter Satzbau oder, um gleich den tiefsten und wirksamsten Grund zu nennen: ein feines rhythmisches Gefühl bannt die Monotonie. Auf der anderen Seite lauert eine nicht minder große Gefahr: daß die Scheu vor der Zeile wie vor jeder anderen rhythmischen Einheit zu einer Sprengung der Versordnung überhaupt führt. Aus den Lyriksammlungen um den ersten Weltkrieg herum hält es nicht schwer, Beispiele zu finden. Einige Zeilen aus einem Gedicht von Johannes R. Becher:

Ich lerne. Ich bereite vor. Ich übe mich.
Wie arbeite ich – hah leidenschaftlichst! –
Gegen mein noch unplastisches Gesicht –:
Falten spanne ich.
Die Neue Welt
(– eine solche, die alte, die mystische, die Welt der Qual austilgend)
Zeichne ich, möglichst korrekt, darin ein ...

Man fragt sich, warum das Druckbild hier noch Verscharakter vortäuschen soll. Denn Verse sind es nicht mehr, das ist Prosa. Und die Behauptung, daß sich im Expressionismus und somit in solchen Gedichten der Anbruch eines neuen Zeitalters ankündige, in dem sich unser ganzes Versempfinden wandeln werde, darf doch schon heute durch die Geschichte der Verskunst als widerlegt gelten. So bedeutungsvoll in mancher Hinsicht die Wirkungen des Expressionismus gewesen sind, die Grundlagen unseres Empfindens hat er nicht antasten können.

Es würde im übrigen reizvoll sein, dem Wandel des Vers- und des rhythmischen Gefühles durch die Jahrhunderte unserer Dichtung nachzugehen. Aber man darf dabei wohl nicht zu große Erwartungen hegen und sich vor allem nicht das Gehör durch die schwesterliche Kunst der Musik verwirren lassen, deren Entwicklung tatsächlich auf sehr tiefreichende Wandlungen des Empfindens zurückgeht. So einfach liegen die Dinge, um bei unserem Beispiel zu bleiben, nicht, daß noch im Mittelalter die Zeile oder das Zeilenpaar die beherrschende metrische Einheit gewesen seien und daß wir immer empfindlicher gegen die dadurch gegebene Eintönigkeit geworden wären. Gewiß hält sich ein Hartmann von Aue sehr eng, zu eng für unser Gefühl, an die Zeile; aber daß es sich nicht um eine Epochen-, sondern um eine persönliche Stumpfheit handelt, das hört man, wenn man daneben Verse seines Zeitgenossen Gottfried von Straßburg liest, der die Zeile mit geradezu moderner Meisterschaft behandelt. Uns scheint in den Versen des Expressionismus, jedenfalls denen der zitierten Art, herzlich wenig von fruchtbar Neuem, dafür in der Einstellung jener ganzen Jahrzehnte viel Bequemlichkeit und Taubheit zu liegen.

Zwischen der Scylla der Monotonie und der Charybdis der Prosa muß also der Dichter hindurch, der auf höhere Verseinheiten als die Zeile verzichtet. Und das muß der epische Dichter meist und der dramatische immer. Ihre höheren Einheiten wie Gesang, Abenteuer, Akt und Szene sind nicht mehr verslicher Art, so gewiß sich z. B. ein Aktschluß durch den Reim wirkungsvoll verstärken läßt.

Und nun könnten wir den anderen Weg einschlagen, der uns zu den höheren metrischen Einheiten wie der Strophe führt. Dazu scheint es um so mehr an der Zeit, als die Zeile noch verhältnismäßig unselbständig ist. Wir sprechen ja auch nicht in Silben und Wörtern, die wir zusammensetzen, nicht einmal in Sätzen, die wir aneinanderreihen, sondern immer in Reden. So dichtet der Dichter nicht in Zeilen, die er aneinanderfügt, sondern vom Bauplan der Strophe her. Doch zum Verständnis der Strophe brauchen wir die Kenntnis von Ausdrücken wie Hexameter, Alexandriner, Blankvers usf., ja schon die Bezeichnungen noch kleinerer Gebilde, wie Jambus, Trochäus, Hebung, Senkung usf. So bleiben wir also im nächsten Kapitel noch in den Niederungen der Verskunst.

ZWEITES KAPITEL

VON DER ZEILE

DIE HEBUNGEN

Wir bestimmen im Deutschen eine Zeile nach der Zahl der Betonungen, die im Sprachgebrauch der Metrik Hebungen genannt werden. Es gibt zweihebige, dreihebige, vierhebige, fünf-, sechs- und noch mehrhebige Verse.

> zweihebig: Feiger Gedanken
> Bängliches Schwanken

> dreihebig: Komm, lieber Mai, und mache
> Die Bäume wieder grün

> vierhebig: Zum Kampf der Wagen und Gesänge,
> Der auf Korinthus' Landesenge

> fünfhebig: Der Morgen kam. Es scheuchten seine Schritte
> Den leisen Schlaf, der mich gelind umfing

Es ist keine geradlinige Reihe, die da durch das Hinzukommen immer einer weiteren Hebung entsteht. Hören wir z. B. noch einmal die Proben für die vier- und fünfhebige Zeile ab, so fallen im zweiten Beispiel Pausen innerhalb der Zeile auf, die im vorangehenden völlig fehlten. Gewiß, auch ein fünfhebiger Vers kann noch eine geschlossene Einheit sein, und andererseits können in der vierhebigen Zeile, wie wir an der Probe aus Herders *Cid* hörten, kräftige Einschnitte liegen. Aber grundsätzlich dürfen wir sagen, daß bei den Zeilen bis zu vier Hebungen die einzelne Zeile eine viel deutlichere, wirksamere Einheit bildet als bei den umfangreicheren Zeilen, für die in wachsendem Maße kleinere Einheiten wichtig werden. Wir werden darüber noch beim Rhythmus zu sprechen haben – hier können wir uns mit der Feststellung begnügen, daß es seinen guten Sinn hat, die ein- bis vierhebigen Zeilen als kurz und die fünf- und mehrhebigen Zeilen als lang zu bezeichnen. Je länger die Zeile wird, desto mehr geht ihre Einheit verloren. Daher ist dem Wachsen eine natürliche Grenze gesetzt; die überlangen Zeilen Ernst Stadlers z. B. sind oft nur noch für das Auge eine Einheit und auch da nicht mehr, weil die Seitenbreite nicht mehr ausreicht. Als Kuriosum drucken wir den längsten Vers ab, den es in der deutschen Dichtung gibt; er hat 16 Hebungen und stammt aus Ernst Stadlers *Abendschluß*:

> All das ist jetzt ganz weit – vom Abend zugedeckt –
> und doch schon da, und wartend wie ein böses Tier,
> das sich zur Beute niedersetzt, –

Wenn Stadler selbst dabei noch den Zeilensprung häufig anwendet, so wird seine Schreibweise nur noch fragwürdiger.

DIE SENKUNGEN

Die bloße Angabe der Hebungszahl ist noch eine sehr rohe Bestimmung; sie läßt nichts von den großen Unterschieden erkennen, die gleichhebige Zeilen haben können:

> Zum Kampf der Wagen und Gesänge,
> Der auf Korinthus' Landesenge

> Windet zum Kranze die goldenen Ähren,
> Flechtet auch blaue Cyanen hinein!

Beide Male handelt es sich um vierhebige Verse; der völlig verschiedene Eindruck rührt von den Unterschieden in dem her, was unbetont ist, was zwischen den Hebungen steht. In der metrischen Sprache nennen wir das, was unbetont zwischen den Hebungen steht, Senkung. Aber ehe wir von daher die Zeile nun genauer zu bestimmen suchen, hören wir noch einmal das letzte Beispiel ab. Da ergibt sich, daß die beiden scheinbar gleichen Zeilen doch verschieden klingen. Die zweite schließt viel kräftiger als die erste; es bedeutet tatsächlich für den Klang etwas anderes, ob eine Zeile mit einer betonten oder unbetonten Silbe endet. Unsere alten Versmeister hielten den Unterschied im Charakter offensichtlich für so grundsätzlich, daß sie die betont endigenden Zeilen männlich, die unbetont endigenden weiblich nannten. Man spricht daneben auch von stumpfem bzw. klingendem Ausgang.

Eine entsprechende Verschiedenheit wird auch in den Zeilen-
eingängen hörbar. Die Zeile

Zum Kampf der Wagen und Gesänge

beginnt mit einer unbetonten Silbe, die Zeile

Windet zum Kranze die goldenen Ähren

beginnt mit einer betonten. Dem Beispiel der Musiker folgend,
könnte man sagen, daß die erste Zeile Auftakt hat, die zweite
hingegen nicht. Aber in den meisten Fällen wird die besondere
Angabe des Zeilenanfanges überflüssig, da sie sich schon aus
den Bezeichnungen ergibt, die man zur Charakterisierung der
Zeile verwendet. Und dem wenden wir uns nun zu.

Zur genaueren Kennzeichnung war es nötig, auf die Senkungen zu achten, auf die Füllung, die der Dichter der Zeit-
spanne zwischen zwei Hebungen gegeben hat. Wir haben schon
Fälle von ein- und zweisilbiger Senkung getroffen; wieder sind
hier der Vermehrung natürliche Grenzen gesetzt. Denn da die
Aussprache jeder Silbe Zeit braucht, schränkt sich die mögliche
Zahl der unbetonten Silben ein, da wir ja im Vers nach ungefähr
einer Sekunde die nächste Hebung erwarten. Wollte uns ein
Dichter zwingen, etwa eine sechssilbige Senkung zu lesen, so
würden wir wohl unfreiwillig ändern, eine der unbetonten
Silben zur Hebung erhöhen und so der Versordnung zum Siege
verhelfen, oder wir würden, wenn wir mit großer Mühe seiner
Anweisung gehorchten, aus der Versordnung heraustreten und
– Prosa lesen. Denn in der Prosa sind ja sechs und mehr unbetonte Silben hintereinander keine Seltenheit. Der Leser kann
sich an jedem beliebig gewählten Stück Prosa davon über-
zeugen. Von jenem eingeborenen Maß rührt es auch her, daß
wir bei langsamem Lesen mehr Betonungen setzen als bei
schnellem, und ob die Zeile aus Goethes *Ganymed:*

Mit tausendfacher Liebeswonne

zwei-, drei- oder vierhebig zu lesen ist, darüber können wir
nichts sagen, solange wir nicht das Tempo erfaßt haben, in dem

die Zeile zu lesen ist. Der weitaus größte Teil der deutschen Verse begnügt sich mit ein- oder zweisilbigen Senkungen; immerhin gibt es noch einige freiere Maße, wie Knittelverse oder die Zeilen der «Freien Rhythmen», in denen der Dichter drei und mehr Silben in die Senkung bringen kann. So lassen sich die Zeilen aus dem *Prometheus:*

> (Wer half mir)
> Wider der Titanen Übermut?
> Wer rettete vom Tode mich ...

im Zusammenhang nur mit dreisilbiger Senkung lesen, und die gleiche Freiheit wahrt sich Goethe in Klärchens Lied (Egmont I, 3). Wenn da in den durchweg zweihebigen Versen die Zeile begegnet:

> Wir schießen hinterdrein!,

so lag Goethe auch an dieser Stelle eine dreisilbige Senkung im Ohr. Platen hat einmal in einem neu gebildeten, festen Strophenschema als erste Zeile angegeben *(An die Brüder Frizzoni):*

$$- - \cup\cup\cup - \cup - \cup - \cup\cup - ,$$

und Voß hat in seinem *Dithyrambus* an Friedrich August Wolf sogar eine viersilbige Senkung metrisch vorgeschrieben.

Das Zeichen ⁻ meint in der deutschen Metrik eine betonte, das Zeichen ◡ eine unbetonte Silbe, und wir behalten diesen durch Herkommen wie durch Zweckmäßigkeit empfohlenen Brauch bei.

Bei der Kennzeichnung der Zeile lassen sich drei Möglichkeiten unterscheiden: 1. gänzlich unregelmäßige Füllung, 2. die Zeile läßt nach Belieben ein- oder zweisilbige Senkung zu, 3. die Füllung ist regelmäßig, d. h. das Schema für die Zeile liegt vorher fest.

1. Gänzlich unregelmäßige Füllung

Die Senkung kann aus ein, zwei, drei, vier Silben bestehen, sie kann aber auch fehlen, so daß zwei Hebungen aufeinander folgen. Solcher Art war der germanische Vers, solche Freiheit

Knittelvers

Meistersinger
zählt und
8- or 9-syllable
patterns

weist aber auch der sogenannte KNITTELVERS auf, der stets vierhebig (und paarweise gereimt) ist. Der Knittelvers, den wir heute im Ohr haben, ist nicht der Vers Hans Sachsens; der Nürnberger Meistersänger zählte nämlich seine Silben und gebrauchte daher nur Zeilen von acht oder neun Silben, je nach männlichem oder weiblichem Ausgang. Wohl aber ist richtig, daß sich die Wiederbelebung des Knittels im 18. Jahrhundert im Blick auf Hans Sachs vollzog und daß sich sozusagen das Ethos des Verses aus seiner Welt auffüllte: der Knittel gilt uns als bieder, volkstümlich, deutsch. Er ist uns aus *Wallensteins Lager* und vor allem aus dem Anfang des *Faust* innig vertraut:

> Habe nun, ach! Philosophie,
> Juristerei und Medizin
> Und leider auch Theologie
> Durchaus studiert, mit heißem Bemühn.

In neuerer Zeit wählte Gerhart Hauptmann den kraftvollen, körnigen Knittelvers für sein *Festspiel in Deutschen Reimen*.

Die gleichen Freiheiten in der Füllung kennzeichnen auch die einzelne Zeile innerhalb des FREIEN RHYTHMUS; in ihr ist aber auch die Zahl der Hebungen völlig frei. Da der Leser hier wie beim Knittel nicht voraus weiß, wann eine Betonung zu lesen ist, muß der Dichter durch ausdrucksvolle Tonsilben jeden Zweifel ausschalten; auch dadurch entsteht der kraftvolle, körnige Charakter dieser Zeilen.

> Nicht in den Ozean der Welten alle
> Will ich mich stürzen! schweben nicht
> Wo die ersten Erschaffnen, die Jubelchöre der Söhne des Lichts,
> Anbeten, tief anbeten! und in Entzückung vergehn!
>
> (Klopstock)

Versmaße sind keine äußeren Formen, die man nach Belieben an jeden Inhalt herantragen kann; ein Ausdruckswille, der zum Knittel oder zum «Freien Rhythmus» greifen läßt, hat längst auch über den «Stil» entschieden. Wenn hier auch nicht solchen inneren Bezügen nachgegangen werden kann, so scheint doch jeweils eine kurze Andeutung über den Verlauf ihrer Bahnen, über das Ethos des Verses also, am Platze. Für die bisher besprochenen Zeilen ließe sich noch hinzufügen, daß sie bei ihrem Drang zu ausdrucksstarken Tonsilben keinen guten Nährboden für das gleitende, weiche Eigenschaftswort bilden.

2. Freiheit zwischen ein- und zweisilbiger Senkung

Wir kennen die so gebaute Zeile, wenn sie drei oder vier Hebungen enthält, aus dem Volkslied und der Lyrik in seinem Bannkreis. Sie wird deshalb auch als Volksliedzeile bezeichnet.

> Ich hört ein Sichelein rauschen,
> Wohl rauschen durch das Korn ...

> Da drob'n auf dem Berge, da wehet der Wind,
> Da sitzet Maria und wieget ihr Kind,
> Sie wiegt es mit ihrer schneeweißen Hand,
> Dazu braucht sie kein Wiegenband.

> Es war ein König in Thule,
> Gar treu bis an das Grab
> Dem sterbend seine Buhle
> Einen goldnen Becher gab.

In dem ersten und dritten Beispiel scheinen es dreihebige Verse zu sein; horcht man indessen genauer hin, so spürt man deutlich eine pochende Hebung in der Pause am Zeilenende. So ist es meist in volkstümlichen Versen: die vierhebige Zeile als Ordnungseinheit liegt uns seit germanischer Zeit im Blute.

Im Vergleich zu dem Knittel fließt die Zeile hier ruhiger dahin. Immerhin sorgt die Freiheit in der Füllung für Ausdruck und Bewegtheit. Die Abtönungen, die sich damit in den Zeilen ergeben, machen Zeilensprünge und starke Pausen im Innern unnötig. Die Volksliedzeile kann als ganz klare, beherrschende Klangeinheit auftreten, ohne daß jene Gefahr der Eintönigkeit droht, wie wir sie beim Aneinanderreihen gleicher Zeilen kennengelernt haben. Diese Gefahr ist natürlich auch durch die Strophigkeit gebannt und nicht zuletzt dadurch, daß Volkslied und volkstümliche Lyrik gesungen sein wollen. Das Ethos der Zeile ist «liedhaft», während Knittel und «Freie Rhythmen» die Musik nicht brauchen, viel eher fürchten müssen, wie die Vertonungen des *Ganymed*, des *Prometheus* usf. zeigen. Die Bedeutungskraft der Wörter ist zu groß, als daß die Musik – wie sie ja gar nicht anders kann – ihnen etwas an Ausdruckskraft entziehen dürfte, und die Gebilde sacken dann zusammen wie schlechtgeratener Pudding.

Die sechshebige, in den Senkungen ein- oder zweisilbig gefüllte Zeile trägt den Namen HEXAMETER. Seine weiteren Kennzeichen sind der auftaktlose Beginn und die zweisilbige Senkung nach der fünften Hebung.

> Schwindelnd trägt er dich fort auf rastlos strömenden Wogen,
> Hinter dir siehst du, du siehst vor dir nur Himmel und Meer.

So bestimmte Schiller sein Wesen. Wiederum können wir uns kaum von der Tradition freimachen, wenn wir versuchen, seine Eigenheit zu erfassen. Aber wir brauchen solche Befangenheit nicht zu scheuen und können ruhig darauf vertrauen, daß der Instinkt der Dichter in den verschiedenen Jahrhunderten seine Rolle richtig bestimmt hat. Wer ihn wählt, steht in einer großen Tradition. In der deutschen Dichtung ist er freilich erst seit dem 18. Jahrhundert, seit Klopstocks *Messias*, zu dem repräsentativen epischen Vers geworden, und kaum weniger jung sind die Zweifel, ob er uns in dieser Eigenschaft wirklich gemäß ist. Lenau, Lingg, Spitteler u. a. haben ihn verworfen, und selbst in Homerübersetzungen hat er schon anderen Maßen weichen müssen. Demgegenüber hat ihn Gerhart Hauptmann in seinem *Till Eulenspiegel* zu beleben gesucht, und Rudolf Alexander Schröder ist ihm ein aufmerksamer Wächter seiner Strenge. Als Probe für den Hexameter sei der Anfang von *Hermann und Dorothea* gegeben:

> Hab ich den Markt und die Straßen doch nie so einsam gesehen!
> Ist doch die Stadt wie gekehrt! Wie ausgestorben! Nicht fünfzig,
> Deucht mir, blieben zurück von allen unsern Bewohnern.
> Was die Neugier nicht tut! So rennt und läuft nun ein jeder,
> Um den traurigen Zug der armen Vertriebnen zu sehen.
> Bis zum Dammweg, welchen sie ziehn, ist's immer ein Stündchen,
> Und da läuft man hinab, im heißen Staube des Mittags.
> Möcht ich mich doch nicht rühren vom Platz, um zu sehen das Elend
> Guter, fliehender Menschen ...

Mit einem in sich beschlossenen Satz als erstem Hexameter beginnt Goethe. Doch dann lockert sich die Bindung zwischen metrischen und syntaktischen Einheiten, und aus der letzten zitierten Zeile springt der Leser in kräftigem Sprung in die nächste. Als «lange» Zeile kann der Hexameter nicht ohne Untergliederungen auskommen, er verlangt «Schnitte». Und hier ist seit dem 18. Jahrhundert der Streit im Gange, ob im Deutschen die darin strengen Regeln des antiken Hexameters beachtet werden müssen oder nicht. Die Entscheidungen können nur vom deutschen Versempfinden gefällt werden. Wenn bei den Griechen z. B. der Schnitt nach der ersten unbetonten Silbe hinter der vierten Hebung verpönt war:

Denn ich hörte von Kindern und Alten, die nackend dahergehn,

so ist dieser Vers für unser Empfinden völlig in Ordnung und damit gerechtfertigt.

Wir geben drei Beispiele für anders gelagerte Schnitte:

Seht, wie allen die Schuhe so staubig sind! wie die Gesichter ...;

aus Klopstocks *Messias:*

In der Stille der Ewigkeit, einsam und ohne Geschöpfe ...

oder:

Wénn er sích, einen größen Tag, úns offenbárend eröffnet ...

Es wird kaum einen empfindlichen Leser geben, der die drei Beispiele ohne Unbehagen lesen könnte. Der Grund liegt in der Lage der Schnitte. Wir dürfen als Regel ableiten: Schnitte nach der zweiten unbetonten Silbe hinter der dritten oder vierten Hebung sind unserem Empfinden zuwider. Oder anders ausgedrückt: bei zweisilbiger Senkung stören die Schnitte unmittelbar vor der vierten oder fünften Hebung. Am angenehmsten klingen Schnitte nach der dritten Hebung oder (bei zweisilbiger Senkung) hinter der darauf folgenden ersten unbetonten Silbe. Daneben empfinden wir auch die Schnitte hinter der vierten Hebung oder (bei zweisilbiger Senkung) hinter der darauf folgenden ersten unbetonten Silbe als gefällig. Der Dichter wird zwischen diesen vier Möglichkeiten abwechseln, um Eintönigkeit zu vermeiden; indes haben im deutschen Hexameter die beiden Schnitte nach der dritten Hebung bei weitem den Vorrang, wie der Leser auch an der Probe aus *Hermann und Dorothea* überprüfen kann.

Fehlt in der im übrigen gleich gebauten Zeile die Senkung hinter der dritten und sechsten Hebung, so ist aus dem Hexameter der PENTAMETER geworden. Der Name darf also nicht darüber täuschen, daß auch in dieser Zeile sechs Hebungen notwendig sind.

(Im Hexameter steigt des Springquells flüssige Säule,)
Im Pentámeter dráuf fállt sie melódisch heráb.

Die Vielfalt der Schnitte vereinfacht sich hier, da durch den festliegenden Einschnitt (Zäsur) hinter der dritten Hebung der Platz für die Pause bestimmt ist.

3. Regelmäßige Füllung

a) Die Senkung ist einsilbig. Dann ergibt sich die stete Folge einer unbetonten und einer betonten Silbe. Beginnt die Zeile mit einer unbetonten Silbe, so erhalten wir den JAMBUS als kleinste, wiederkehrende Einheit (◡ -), beginnt sie mit einer betonten Silbe, so wiederholt sich der TROCHÄUS als Einheit (- ◡).

Eine Zeile ist also als zwei-, drei-, vier-, fünf-, sechshebiger Jambus bzw. Trochäus genauestens bezeichnet. Es ist gewiß seltsam, aber doch unleugbar, daß der kleine Unterschied des vorhandenen oder fehlenden Auftaktes, denn darauf läuft praktisch der Unterschied zwischen den beiden Geschwistern hinaus, dem Vers einen völlig anderen Charakter gibt. Der Leser mag es an der Gegenüberstellung einer Strophe aus den *Kranichen des Ibykus* mit einigen Zeilen aus Goethes *Der Gott und die Bajadere* beobachten:

Zum Kampf der Wagen und Gesänge,
Der auf Korinthus' Landesenge
Der Griechen Stämme froh vereint,
Zog Ibykus, der Götterfreund.
Ihm schenkte des Gesanges Gabe,
Der Lieder süßen Mund Apoll;
So wandert er an leichtem Stabe
Aus Rhegium, des Gottes voll.

Spät entschlummert unter Scherzen,
Früh erwacht nach kurzer Rast,
Findet sie an ihrem Herzen
Tot den vielgeliebten Gast.
Schreiend stürzt sie auf ihn nieder;
Aber nicht erweckt sie ihn,
Und man trägt die starren Glieder
Bald zur Flammengrube hin.

Man darf vielleicht sagen, daß der Jambus besser trägt, daß der
Bewegungsverlauf ausgeglichener ist, daß er im ganzen
schmiegsamer gleitet als der Trochäus. Der beginnt schwerer,
er ist offensichtlich für eine fallende Bewegung geeignet. Bei
langsamem Sprechen wirkt er ernster als der Jambus; bei
schnellem Tempo bekommt er etwas Laufendes, Vor-Läufiges.
Er ist dann fahler als der Jambus und nicht so modulations-
fähig. Es scheint, als ob der Beginn mit einer Betonung eine
durchweg stärkere Artikulation im Trochäus nach sich zieht.
Man spürt es an den Sprechwerkzeugen, wenn man eine Zeile
umformt:

> Der Griechen Stämme froh vereint

und:

> Griechen Stämme froh vereint.

Nicht nur die Anfangsbetonung kommt kräftiger heraus, der
Klang der Zeile überhaupt ist etwas härter, stakkatohafter,
spröder geworden. Noch überzeugender wirkt vielleicht eine
Umformung, die Conrad Ferdinand Meyer vorgenommen hat.
In den *Gedichten* von 1882 finden sich mit dem Titel *Wund* die
folgenden Verse:

> Zu Walde flücht ich, ein gehetztes Wild,
> Indes der Abendhimmel purpurn quillt,

Ich lieg und keuche. Zu mir rinnt herein
Ein stilles Bluten über Moos und Stein.

In der zweiten Auflage von 1883 hat dasselbe Gedicht, nun mit
dem Titel *Abendrot im Walde*, folgende Fassung angenommen:

In den Wald bin ich geflüchtet,
Ein zu Tod gehetztes Wild,
Da die letzte Glut der Sonne
Längs der glatten Stämme quillt.

Keuchend lieg ich. Mir zu Seiten
Blutet, siehe, Moos und Stein –
Strömt das Blut aus meinen Wunden?
Oder ist's der Abendschein?

Die Änderungen gehen sehr tief; aber alle sind erst durch das
andere Metrum möglich geworden. Der Trochäus (in Verbindung mit der Zeilenverkürzung) gibt der zweiten Fassung ihren
bedrängenderen, gequälteren Charakter. Vor allem aber an der
zweiten Strophe der ersten Fassung, die ja den Worten nach
fast erhalten blieb, spürt man, wie unendlich eindringlicher das
Keuchen und Bluten nun in der zweiten Fassung geworden
sind. Der Jambus, so können wir zusammenfassend sagen, ist
weicher, gleitender und verhaltener als der Trochäus.

Auch für die meisten dreihebigen jambischen Zeilen gilt,
was wir bei der Volksliedzeile feststellten: daß sie im Grunde
vierhebige Zeilen sind. Und natürlich gilt auch bei Jamben und
Trochäen der Unterschied zwischen «kurzen» und «langen»
Zeilen. Da der Trochäus eine Neigung zum Fallen, d. h. zu
starkem Zeilenbeginn hat, da er im ganzen spröder und starrer
ist als der Jambus, da also, mit einem Wort, sein Zeilencharak-
ter klarer ausgeprägt ist, eignet er sich nicht so gut zu langen
Zeilen, in denen ja die Einheit des einzelnen Verses aufgeglie-
dert und überspült wird. Das Übergewicht des Jambus über
den Trochäus ist tatsächlich in der deutschen Dichtung bei den
langen Zeilen noch viel größer als bei den kurzen. Der Trochäus begegnet vor allem als vierhebiger Vers. Er erlebte, obwohl er uns schon immer vertraut war, um 1800 eine große
Blüte. Daran war im Anfang, wie es so oft geschieht, ein Miß-

verständnis schuld: man sah in ihm die genaue deutsche Entsprechung des spanischen Romanzenverses. Mit der romantischen Schicksalstragödie beherrschte er sogar eine Zeitlang das Drama.

Als der eigentliche Vers des deutschen Dramas aber steht seit Lessings *Nathan der Weise* der ungereimte, fünfhebige Jambus da, der BLANKVERS. Er dankt diese Vorzugsstellung, die er auch heute noch einnimmt, seiner reichen Modulationsfähigkeit. Die Dichter haben diese seine Schmiegsamkeit oft gerühmt; es hat aber auch nicht an Stimmen gefehlt, die den «barbarischen und armseligen Vers, der hoffentlich bald aus der Sprache verschwinden wird» (Platen), tadelten, weil er nicht feierlich genug sei. Von Schiller gibt es herbe Äußerungen über den «lahmen Fünffüßler», und selbst Goethe sprach einmal davon, daß er «die Poesie zur Prosa herunterzog».

Zu den Freiheiten, die sich eingebürgert haben, gehört die Möglichkeit, gelegentlich Zeilen mit mehr oder weniger Hebungen einzuflechten. In dem ersten Auftritt der *Libussa* hat Grillparzer dreimal Verse von sechs Hebungen verwendet (und die schon so herausgehobenen Zeilen noch durch den Reim verstärkt). Ob es dagegen wirklich die Freiheit gibt, zweisilbige Senkungen einzustreuen, ist fraglich; denn die Berufung auf unsere klassischen Dramen hält nicht stand. Die dort nicht allzu seltenen Fälle gehören fast durchweg dem Typus (Kö)nige, (e)wiger an, und man darf fragen, ob die Dichter dabei nicht doch an einsilbige Aussprache der Senkung dachten. Im einzelnen verhalten sich die Dichter zu den Freiheiten wie den Möglichkeiten des fünffüßigen Jambus ganz verschieden. Als eine Probe für das Überspülen der Zeilen geben wir einige Zeilen aus Kleists *Penthesilea:*

Diomedes: ... Es hieß zu Anfang hier,
        Der Rückzug meiner Völker habe dich
        In diese Flucht gestürzt; beschäftiget
        Mit dem Ulyss, den Antiloch zu hören,
        Der Botschaft uns von den Atriden brachte,
        War ich selbst auf dem Platz nicht gegenwärtig.

> Doch alles, was ich sehe, überzeugt mich,
> Daß dieser meisterhaften Fahrt ein freier
> Entwurf zum Grunde lag. Man könnte fragen,
> Ob du bei Tagesanbruch, da wir zum
> Gefecht noch allererst uns rüsteten,
> Den Feldstein schon gedacht dir, über welchen
> Die Königin zusammenstürzen sollte ...

War Shakespeare der Pate beim Eintritt des fünfhebigen Jambus ins deutsche Drama, so dankt er seine Verwendung als gebräuchlichste Zeile in Stanze, Terzine, Sonett und anderen, später zu besprechenden Maßen dem Vorbild vor allem der italienischen Dichtung. Er ist jedenfalls auch in unserer Lyrik eine der häufigsten Zeilen.

Als Lessing den geeigneten Vers für seinen *Nathan* suchte, dachte er einen Augenblick an den sechshebigen Jambus. Die Anregung kam vom antiken Drama, das ja den sogenannten jambischen TRIMETER verwendet und damit ein Maß, dem eben im Deutschen jener Vers am nächsten kommt. Auch Goethe hat ihn prüfend in die Hand genommen und in der *Pandora* wie im zweiten Teile des *Faust* vorgeführt. Indessen darf man die von Eckermann berichtete Äußerung schon glauben: «Der sechsfüßige Jambus wäre freilich am würdigsten, aber er ist für uns Deutsche zu lang, wir sind wegen der fehlenden Beiwörter schon mit fünf Füßen fertig.» So ist er denn, von Übersetzungen aus dem Griechischen abgesehen, im deutschen Drama nicht heimisch geworden. Als Probe sei der Anfang des Helena-Aktes wiedergegeben:

> Bewundert viel und viel gescholten, Helena,
> Vom Strande komm ich, wo wir erst gelandet sind,
> Noch immer trunken von des Gewoges regsamem
> Geschaukel, das vom phrygischen Blachgefild uns her
> Auf sträubig-hohem Rücken durch Poseidons Gunst
> Und Euros' Kraft in vaterländische Buchten trug.

Der Leser kann daran die Kennzeichen des Trimeters ablesen: die sechs Hebungen, den männlichen Ausgang, die Reimlosigkeit sowie die Freiheit, gelegentlich zweisilbige Senkung zu verwenden. Als «lange» Zeile braucht der Trimeter «Schnitte»;

während Goethe sich in der ersten Zeile noch einigermaßen an die griechische Regel des Einschnitts nach der zweiten und vierten Hebung hält, variiert er die Schnitte in den folgenden Zeilen; nur wenige haben wie Platen den Trimeter mit griechischer Strenge gehandhabt. Der Leser wird aber auch hören, wie schnell sich für das Ohr die Zeileneinheit verliert. Das Dilemma ist wohl ausweglos: entweder bewahrt man mit den griechischen Schnitten die feste Fügung, die aber im Drama zu eintönig würde; oder man gibt sie auf, und dann ist der Vers zu breit für das Drama, zu redselig beinahe.

In der Lyrik hat ihn Mörike nicht selten gebraucht; der Ton ist dann immer beschaulich (vgl. *Auf eine Lampe*).

Neben dem Trimeter gibt es noch eine andere Form des sechshebigen Jambus; sie ist sogar im 17. Jahrhundert und der ersten Hälfte des 18. die bevorzugte Form in der deutschen Dichtung gewesen: der ALEXANDRINER. Seinen Namen hat er von den altfranzösischen Alexanderepen, in denen er verwendet wurde. Aus der französischen Renaissancedichtung drang er dann im 16. Jahrhundert nach Deutschland. Der Alexandriner verlangt nach der dritten Hebung eine deutliche Pause: er ist also im Grunde eine aus zwei «Viertaktern» zusammengesetzte Langzeile. Daß er in Barockzeit und Aufklärung so beliebt war, dankt er seiner Eignung zur Aufnahme von prägnant, am besten in Gegensätzen entwickelten Gedanken. Ein Sonett von Gryphius beginnt:

Du siehst, wohin du siehst, nur Eitelkeit auf Erden.
Was dieser heute baut, reißt jener morgen ein;
Wo itzund Städte stehn, wird eine Wiese sein,
Auf der ein Schäferskind wird spielen mit den Herden.

Was itzund prächtig blüht, soll bald zertreten werden;
Was itzt so pocht und trotzt, ist morgen Asch und Bein;
Nichts ist, das ewig sei, kein Erz, kein Marmorstein.
Itzt lacht das Glück uns an, bald donnern die Beschwerden.

Aber eben diese Neigung zur Gedanklichkeit, zur Gegenüberstellung ließ ihn bald darauf als starr erscheinen, als klappernd, als seelenlos, als undeutsch, und wie die Vorwürfe lauteten.

Die Wesensbestimmung, die Schiller in einem Brief an Goethe (aus Anlaß des Voltaireschen Mahomets) gab, trifft wohl ins Zentrum: «Die Eigenschaft des Alexandriners, sich in zwei gleiche Hälften zu trennen, und die Natur des Reims, aus zwei Alexandrinern ein Couplet zu machen, bestimmen nicht bloß die ganze Sprache, sie bestimmen auch den inneren Geist dieser Stücke, die Charaktere, die Gesinnung, das Betragen der Personen. Alles stellt sich dadurch unter die Regel des Gegensatzes, und wie die Geige des Musikanten die Bewegungen der Tänzer leitet, so auch die zweischenklige Natur des Alexandriners die Bewegungen des Gemüts und der Gedanken. Der Verstand wird ununterbrochen aufgefordert und jedes Gefühl, jeder Gedanke in dieser Form wie in das Bette des Prokrustes gezwängt.» Wir haben diese Stelle wiedergegeben, weil sie zugleich zeigt, wie eindringlich die Dichter das Wesen eines Versmaßes abhorchen und wie lebhaft sie seine Macht über die Sprache, über die Bildung der Gedanken und Empfindungen verspüren.

b) Regelmäßige zweisilbige Senkung. Beginnt die Zeile mit einer Hebung, so erhält man bei einer schematischen Wiedergabe durch Striche und Häkchen als kleinste Einheit den DAKTYLUS (-◡◡), beginnt sie mit zwei unbetonten Silben, den ANAPÄST (◡◡-). Schiller verbindet beide Arten in der zweiteiligen Strophe seiner *Dithyrambe*, indem er auf fünf Daktylen zwei Anapäste folgen läßt:

> Nimmer, das glaubt mir, erscheinen die Götter,
> Nimmer allein.
> Kaum daß ich Bacchus den lustigen habe,
> Kommt auch schon Amor, der lächelnde Knabe,
> Phoebus der herrliche findet sich ein.
> Sie nahen, sie kommen, die Himmlischen alle,
> Mit Göttern erfüllt sich die irdische Halle.

Die unterschiedliche Wirkung des vorhandenen oder fehlenden Auftaktes ist hier offensichtlich geringer als beim Jambus und Trochäus. Tatsächlich kann man bei der Bestimmung von Versen mit regelmäßig zweisilbiger Senkung die Unterscheidung zwischen Daktylus und Anapäst getrost aufgeben. Denn die beiden Stellen, an denen allein der Unterschied wahrnehmbar würde, werden im Deutschen mit größter Freiheit behandelt: der Anfang und der Schluß des Verses. Schillers erste Zeile endet nicht, wie es das Metrum an sich verlangte, mit einer zweisilbigen Senkung (-◡◡), sondern begnügt sich, wie es meist in den deutschen Schluß-Daktylen der Fall ist, mit einer einsilbigen. (Die Verswissenschaft nennt solche unvollständig realisierten Verse «katalektisch». Auch Trochäen sind oft katalektisch gebaut: «Ein zu Tod gehetztes Wild».) Andererseits beginnen die beiden letzten Zeilen der Schillerschen Strophe mit nur einer unbetonten Silbe, obwohl der Anapäst deren zwei vorschreibt, endigen dafür, wieder gegen die Vorschrift, statt mit einer betonten mit einer überfälligen unbetonten Silbe. Für die praktische Bestimmung reicht es also völlig aus, wenn man nur von Daktylen spricht und dazu die Anwesenheit oder Abwesenheit eines Auftaktes feststellt. Ob man die Zeile:

Sie nahen, sie kommen, die Himmlischen alle

metrisch als Daktylen nachzeichnet (◡ bezeichnet eine sprachlich nicht realisierte Silbe):

◡|-◡◡|-◡◡|-◡◡|-◡

oder als Anapäste:

◡◡-|◡◡-|◡◡-|◡◡-|◡

ist völlig willkürlich. Bei Jamben und Trochäen bedingt der verschiedene Eingang der Zeile wirklich einen völlig verschiedenen Charakter des Verses, so daß es guten Sinn hat, die Bezeichnungen zu sondern. Das gilt schon für reine Daktylen und Anapäste nicht, wird aber nun angesichts der Freiheiten im Eingang und Schluß gänzlich überflüssig. Auf dem Papier bleibt noch als Unterschied die verschiedene Lage des Taktstriches vor bzw. nach den Hebungen. Dieser Unterschied steht aber nur auf dem Papier und wird nicht wirksam. Im lebendigen Verse hören wir keine regelmäßigen Einschnitte nach irgendwelchen «Takten». Belauschen wir deutsche Verse mit zweisilbiger Senkung, so hören wir in den meisten Fällen weder daktylische noch anapästische Worte und Wortgruppen, sondern «amphibrachysche», deren Schematisierung so aussähe: ∪ – ∪|∪ – ∪|∪ – ∪ ... Es verrät sich gleich in der ersten Schillerschen Zeile:

– ∪ | ∪ – ∪ | ∪ – ∪ | ∪ – ∪
Nimmer, das glaubt mir, erscheinen die Götter.

Derart sind die meisten deutschen Verse mit regelmäßig zweisilbiger Senkung:

Es singen die Priester: Wir tragen die Alten
Nach langem Ermatten und spätem Erkalten,
Wir tragen die Jugend, noch eh sie's gedacht.

Aber wir wollen mit dem Hinweis auf die «Amphibrachen» nicht neue komplizierte Namen einführen, sondern gerade zur Vereinfachung beitragen und die ganze Familie der regelmäßigen zweisilbigen Senkung unter die metrische Bezeichnung des Daktylus bringen.

Die Schillersche Strophe scheint zu bestätigen, was schon unsere Versmeister des 17. Jahrhunderts an den daktylisch-anapästischen Zeilen rühmten: daß sie mit ihrem Hüpfen und Springen zur Fröhlichkeit aufmuntern. Aber wollten wir das verallgemeinern, so begingen wir den gleichen Fehlschluß, wie wenn einer dem 3/4-Takt in der Musik stets fröhlichen Tanzcharakter zuspräche, weil Walzer und Ländler nun einmal 3/4-Maße seien. Den Zeilen mit zweisilbiger Senkung kann durchaus ein feierlicher, ernster Ton eigen sein; freilich bleibt soviel richtig, daß es auch dann immer eine bewegte, sich niemals versteifende Feierlichkeit ist, die aus dem Metrum der Zeilen spricht. Als Probe diene Conrad Ferdinand Meyers *Chor der Toten*:

Wir Toten, wir Toten sind größere Heere
Als ihr auf der Erde, als ihr auf dem Meere!
Wir pflügten das Feld mit geduldigen Taten,
Ihr schwinget die Sichel und schneidet die Saaten,
Und was wir vollendet, und was wir begonnen,
Das füllt noch dort oben die rauschenden Bronnen,
Und all unser Lieben und Hassen und Hadern,
Das klopft noch dort oben in sterblichen Adern,
Und was wir an gültigen Sätzen gefunden,

Dran bleibt aller irdische Wandel gebunden,
Und unsere Töne, Gebilde, Gedichte
Erkämpfen den Lorbeer im strahlenden Lichte,
Wir suchen noch immer die menschlichen Ziele –
Drum ehret und opfert! Denn unser sind viele!

c) Regelmäßigkeit in der Füllung durch ein- oder zweisilbige oder ausgesparte Senkung. Regelmäßigkeit besagt, daß die gleiche Füllung in allen entsprechenden Stellen der Strophe wiederkehrt. Der Dichter ist hier also nicht frei, sondern ständig gezwungen, die Ansprüche des gewählten Schemas zu beachten. Dieser Art sind die Zeilen in den antiken Odenmaßen; der «Adonische Vers» z. B. setzt einen Daktylus und einen Trochäus nebeneinander:

$$\text{Hört alle Liebe.}$$

Als im 18. Jahrhundert der Ehrgeiz erwachte, die antike Lyrik maßgetreu nachzubilden, drangen ihre Formen in die deutsche Dichtung ein. Da die Zeilen dabei immer in strophischen Gefügen erscheinen, sprechen wir besser in dem Kapitel über die Strophen davon.

DRITTES KAPITEL

VON DER STROPHE

Nach dem Rundblick auf der Ebene der Zeile steht uns nun
der Weg frei zum Aufstieg auf die höhere Ebene der Strophe.
Wir sagten schon, daß ihre große Macht vor allem in der Lyrik
deutlich wird. Aber es ist andererseits nicht so, daß alle Lyrik
strophisch ist im Sinne einer Wiederkehr des gleichen Gefüges.
Es kann geschehen, daß der Strom der Empfindung zu unge-
bärdig dahinströmt, als daß er sich in gleiche Abschnitte gliedern ließe. Die Sturm- und Drangzeit, die aus der Erregung des
Augenblicks heraus schaffen wollte, der das Gedicht frei aus
der schaffenden Seele taumeln sollte, um mit Klopstock zu
sprechen, schuf sich mit den «Freien Rhythmen» eine Form, in
der mit den Fesseln des Reims, der gleichen Zeilenlänge, der
Einhaltung der gleichen Füllung auch die der gleichen Strophen
abgeschafft worden war. Der junge Goethe hat in diesem freien
Maß, das sich nur noch durch die Wiederkehr der Hebungen in
gleichen Abständen von der Prosa unterscheidet, viele seiner
berühmten Hymnen geschrieben: Ganymed, Prometheus, An
Schwager Kronos u. a. Man spürt es an Schritt und Tritt schon
in seinem *Mailied*, wie hier der Schwung der Begeisterung über
die Strophengrenzen hinwegsetzen läßt, so daß es zu einem
Gegensatz zwischen äußerer und innerer Form gekommen ist.
In den gereimten Gedichten aus der Hymnenzeit hat sich
Goethe dann oft die Freiheit ungleicher Strophen gewahrt, wie
es der inneren Linie des Gedichts entsprach. Wir geben als
Probe eines der vollendetsten Goetheschen Jugendgedichte,
an dem der Leser zugleich hören mag, wie die sich wandelnde
Empfindung nicht nur ungleiche Strophen schafft, sondern
sich jeweils in verschiedenartigen Zeilen ausspricht:

Auf dem See
Und frische Nahrung, neues Blut
Saug ich aus freier Welt:

Wie ist Natur so hold und gut,
Die mich am Busen hält!
Die Welle wieget unsern Kahn
Im Rudertakt hinauf,
Und Berge, wolkig himmelan,
Begegnen unserm Lauf.

Aug, mein Aug, was sinkst du nieder?
Goldne Träume, kommt ihr wieder?
Weg, du Traum, so gold du bist:
Hier auch Lieb und Leben ist.

Auf der Welle blinken
Tausend schwebende Sterne,
Weiche Nebel trinken
Rings die türmende Ferne,
Morgenwind umflügelt
Die beschattete Bucht,
Und im See bespiegelt
Sich die reifende Frucht.

Goethe kehrte dann später immer mehr zur festen Strophe zurück; er spiegelt darin den Gang unserer Lyrik überhaupt. Denn wenn auch die «Freien Rhythmen» und die «freien Strophen» weiter verwendet worden sind – es gibt in ihrer Pflege ein Auf und Ab –, so haben doch die festen Strophen in allen Epochen den klaren Vorrang. Der Drang zur Bändigung und Ordnung hat auch hierin immer wieder seine Verwirklichung gesucht und gefunden.

Trotzdem läßt sich mit Recht behaupten, daß sich die Einstellung zur Strophe überhaupt mit den Zeiten gewandelt hat. Dichter wie Publikum der Gegenwart wollen der Strophe nicht mehr solche Festigkeit zuerkennen, wie es in früheren Zeiten geschah. Sie soll nicht mehr als eigenwertiger Baustein in die Erscheinung treten, sondern sich möglichst fugenlos der Gesamtbewegung unterordnen. Wir legen das Ergebnis eines flüchtigen Überblicks auf Grund einiger Anthologien vor. Danach war der Anteil der einzelnen Formen, auf hundert Gedichte umberechnet, in neuerer Lyrik und in der Spanne zwischen Christian Günther und Mörike folgender:

Neuere Zeit		Günther bis Mörike
4 zeilige Strophe	42	32
unregelmäßige	18	11
strophenlos	12	14
8 zeilige	5	14
6 zeilige	5	14
Sonett	5	3
Sonstiges	13	12

Die vierzeilige Strophe ist von allen Strophenformen, wie wir noch sehen werden, die ungewichtigste. Fassen wir die Gedichte in Vierzeilern, die mit unregelmäßiger Strophik und die strophenlosen zu einer Gruppe zusammen, so wird offenbar, daß in der Lyrik des 20. Jahrhunderts von je vier Gedichten nur noch eines (28%) die Strophe als feste, maßgebende Einheit verwendet. In der älteren Zeit tat es jedes zweite Gedicht. Die Abneigung betrifft vor allem die sechs- und achtzeilige Strophe, deren Anteil von zusammen 28% auf 10% zusammengeschmolzen ist. («Die langen Strophen von 8, von 10, von 12 Zeilen sind bisher (!) die gewöhnlichsten in der deutschen Poesie gewesen», stellt Ramler um die Mitte des 18. Jhdts. in seiner *Einleitung in die schönen Wissenschaften* fest.) Das Bild würde sich noch mehr verschieben, wenn man die ältere Zeit bis zur Romantik überprüfte, in der die vierzeilige Strophe ihre beherrschende Stellung gewann. Der Schwund der langen Strophen ist in Wirklichkeit, im wirklichen Leben der Versdichtung, noch viel größer, ohne daß man Ursache und Folge leicht auseinander halten könnte. Die Generationen des 19. Jahrhunderts konnten noch viele Kirchenlieder auswendig. Das bedeutet aber: sie hatten ein Gefühl für das Gewicht festgefügter, langer Strophen, aus denen sich fast alle Kirchenlieder aufbauen. Die Generationen des 20. Jahrhunderts sind dieser Tradition fast entrückt, und zugleich hat sich, Folge oder Ursache?, der Sinn für die langen Strophen etwas verloren. Die Stelle des Kirchenliedes hat jetzt weithin das Volkslied eingenommen, das heißt aber die vierzeilige Strophe. Gewöhnlich weiß man nur die ersten drei, vier Strophen auswendig. In diesem Symptom verrät sich eine grundsätzliche Einstellung. Auch die Kunstlyrik bevorzugt kürzere Gedichte, die nun ein Bogen überspannt, womit denn die Bedeutung der Strophe sinkt und sinken soll.

Auf die Frage, welche Strophenformen im einzelnen die gebräuchlichsten sind und wie und wann neue auftauchen, läßt sich noch keine erschöpfende Antwort geben, da es an umfassenderen Untersuchungen fehlt. Wir wissen, daß z. B. Goethe außerordentlich zurückhaltend in der Verwendung neuer Formen gewesen ist, daß aber anderen Dichtern die gebräuchlichsten Schemen nicht genügten und daß sie sich neue Formen schufen. Mörike ist einer der großen Meister des Strophenbaues, und Annette von Droste-Hülshoffs *Geistliches Jahr*, ein lyrischer Zyklus auf alle Sonn- und Festtage des Jahres, möchte man geradezu eine große Werkstätte des Strophenbaus nennen: es gibt darin nur eine Form, die einmal wiederkehrt, sonst hat jedes Gedicht sein eigenes Maß. Allgemein läßt sich sagen, daß eine Strophe desto weniger fließend, unliedhafter wird, je kunstvoller sie gefügt ist, und desto unmusikalischer, je architektonischer ihr Bau sich erhebt. Man kann auch feststellen, daß jambische und trochäische Zeilen nur ziemlich selten zusammengefügt werden, ihr Ausdruckswert ist zu unterschiedlich. Dagegen findet man häufiger die Verbindung von jambischen oder trochäischen mit daktylischen Zeilen. Wie ausdrucksvoll ein solcher Wechsel sein kann, wird der Leser an folgender Strophe Mörikes hören:

> Gelassen stieg die Nacht ans Land,
> Lehnt träumend an der Berge Wand,
> Ihr Auge sieht die goldne Waage nun
> Der Zeit in gleichen Schalen stille ruhn;
> Und kecker rauschen die Quellen hervor,
> Sie singen der Mutter, der Nacht, ins Ohr
> Vom Tage,
> Vom heute gewesenen Tage.

Für uns kann es sich im folgenden nur darum handeln, einige der häufigsten Strophen kennenzulernen, gewissermaßen «Bestlösungen», die durch die Zeiten hin dauern.

1. Die Volksliedstrophe

Wir verstehen darunter gewöhnlich die aus vier «Volkslied-
zeilen» (vgl. S. 22) zusammengesetzte Strophe. Ihr Reimschema
ist a b a b, und meist wechseln weibliche und männliche Ausgänge.

Die Zeilen bilden, wie wir schon sahen, eine deutliche Einheit; der nahe Reim unterstreicht die Korrespondenz, so daß
die Strophe überaus flüssig ist. Große Aufgipfelungen und
starke Erregtheit haben in ihr keinen Platz, der Ton ist vielmehr leicht verhalten. Es gibt kaum eine andere Strophe, die
bei richtiger Verwendung von Bewegung und Klang so voller
Musik, so liedhaft ist. Daß es sich dabei gehaltlich nicht immer
um Naivität und Primitivität zu handeln braucht, mögen die
beiden Proben von Eichendorff und Conrad Ferdinand Meyer
zeigen:

Schöne Fremde

Es rauschen die Wipfel und schauern,
Als machten zu dieser Stund
Um die halbversunkenen Mauern
Die alten Götter die Rund.

Hier hinter den Myrtenbäumen
In heimlich dämmernder Pracht,
Was sprichst du wirr wie in Träumen
Zu mir, phantastische Nacht?

Es funkeln auf mich alle Sterne
Mit glühendem Liebesblick,
Es redet trunken die Ferne
Wie von künftigem, großem Glück

Abendwolke

So stille ruht im Hafen
Das stille Wasser dort,
Die Ruder sind entschlafen,
Die Schifflein sind im Port.

Nur oben in dem Äther
Der lauen Maiennacht,
Dort segelt noch ein später
Friedfertiger Ferge sacht.

Die Barke still und dunkel
Fährt hin in Dämmerschein
Und leisem Sterngefunkel
Am Himmel und hinein.

Conrad Ferdinand Meyer ist hier einmal überraschend weich, weniger anschaulich, möchte man beinah sagen, dafür musikalischer, als man es sonst von ihm gewohnt ist.

Die vierzeilige Volksliedstrophe, der wir die rein jambische zurechnen, ist den Deutschen wohl die vertrauteste. Die Romantiker haben sie bei ihrer volkstümlichen Lyrik mit einer Vorliebe verwendet, die überraschen muß, wenn man die alten Volkslieder durchblättert. Denn dort hat sie keineswegs eine solche Ausnahmestellung inne. Neben ihr findet sich die zweizeilige Strophe, dann meist vierhebig, findet sich die sechs-, sieben- und achtzeilige Strophe und finden sich, gar nicht zu selten, Strophen kunstvollen Baues, die verschieden lange Zeilen zu einem Ganzen verbinden. Hier ist ziemlich viel durch das etwas großmaschige Auswahlnetz unserer Romantiker durchgerutscht. In Heines *Buch der Lieder* behauptet die vierzeilige Volksliedstrophe nahezu unangefochten die Herrschaft. Die achtzeiligen Strophen in der volkstümlichen Lyrik des 19. Jahrhunderts sind meist zwei zusammengeleimte Vierzeiler.

Aus England wurde im 18. Jahrhundert die volkstümliche «Chevy-Chase-Strophe» übernommen. Der Name erklärt sich aus dem Titel der englischen Ballade, an der Addison die Schönheiten der Volksdichtung gerühmt hatte. Klopstock und Gleim waren die ersten, die sie in Deutschland nachbildeten. Sie besteht aus vier Zeilen, von denen die erste und dritte vier Hebungen, die zweite und vierte drei haben; indessen gehört zu ihnen eine starke Pause am Ende, in der sich die vierte Hebung verwirklicht. Die Senkungen sind wie im Volkslied ein- oder zweisilbig. Was der Strophe ihren besonderen Ton gibt, sind die durchweg männlichen Ausgänge. Sie bekommt dadurch eine Herbheit und Geladenheit, die ihr auch in Deutschland vorzüglich die Balladendichtung geöffnet haben;

sie ist die typische Form der «heldischen Ballade» eines Strach-
witz, Fontane, Münchhausen geworden:

> Graf Douglas, presse den Helm ins Haar,
> Gürt um dein lichtblau Schwert,
> Schnall an dein schärfstes Sporenpaar
> Und sattle dein schnellstes Pferd!
>
> (Strachwitz)

2. Dreizeilige Strophen

Die dreizeilige Strophe ist im Deutschen eine etwas proble-
matische Form. Die Paarigkeit liegt uns wohl so im Ohr und
Bewegungsgefühl, daß sie leicht unvollständig oder unsym-
metrisch klingt. Schon in ihrer berühmtesten Form hat sie sich
nicht recht durchsetzen können: als TERZINE, über der der
Schatten Dantes liegt. Der Strophencharakter der Terzine ist
nicht sehr ausgeprägt, da der Reim weiterläuft: aba bcb cdc
ded ... yzy z. Goethe, der die Form im Anfang nicht schätzte,
da sie «keine Ruhe» hat, gebrauchte sie dann später im Anfangs-
monolog Faustens im zweiten Teil und in *Schillers Reliquien*.
«Terzinen müssen immer einen großen, reichen Stoff zur Unter-
lage haben», äußerte er damals. Nach ihm ist die Terzine gelegentlich zu finden, meist als Versmaß für melancholisch ge-
tönte Betrachtungen. In jüngerer Zeit ist sie durch Hugo von
Hofmannsthal wieder in den Blickkreis getreten, der sich freilich, wie übrigens auch Stefan George, mitunter Änderungen
in der Reimfolge erlaubt. Als Beispiel dienen Hofmannsthals

Terzinen über Vergänglichkeit

> Noch spür ich ihren Atem auf den Wangen:
> Wie kann das sein, daß diese nahen Tage
> Fort sind, für immer fort und ganz vergangen?
>
> Dies ist ein Ding, das keiner voll aussinnt,
> Und viel zu grauenvoll, als daß man klage:
> Daß alles gleitet und vorüberrinnt
>
> Und daß mein eignes Ich, durch nichts gehemmt,
> Herüberglitt aus einem kleinen Kind,
> Mir wie ein Hund unheimlich stumm und fremd.

Dann: daß ich auch vor hundert Jahren war,
Und meine Ahnen, die im Totenhemd,
Mit mir verwandt sind wie mein eignes Haar.

So eins mit mir als wie mein eignes Haar.

Eine Abart der Terzine ist das gleichfalls aus Italien stammende
RITORNELL; der Strophencharakter ist stärker ausgeprägt,
da jeweils die erste und dritte Zeile reimen, während die zweite
reimlos bleibt. Die erste Zeile enthält gewöhnlich eine Frage oder
einen Ausruf («Blumenruf»); durch diese Heraushebung bekommt die Strophe für uns bessere Ausgewogenheit als ihre
vornehmere, blutleere Verwandte. Wir geben als Probe Storms
Frauenritornell:

> Blühende Myrte –
> Ich hoffte süße Frucht von dir zu pflücken;
> Die Blüte fiel; nun seh ich, daß ich irrte.
>
> Schnell welkende Winden –
> Die Spur von meinen Kindertagen sucht ich
> An eurem Zaun, doch konnt ich sie nicht finden.
>
> Muskathyazinthen –
> Ihr blühtet einst in Urgroßmutters Garten;
> Das war ein Platz, weltfern, weit, weit dahinten.
>
> Dunkle Zypressen –
> Die Welt ist gar zu lustig;
> Es wird doch alles vergessen.

Mit dreifachem Reim begegnet die Strophe schon in altdeut-
scher Zeit. In neuerer hat sie Conrad Ferdinand Meyer mehrfach so verwandt, aber ohne Erfolg: der Klang wirkt viel zu
aufdringlich. Es ist bezeichnend, daß der Dichter diese Stro-
phenform beim Übergang von der dritten zur vierten Fassung
seines Gedichtes *Tote Liebe* aufgegeben hat. Die dreizeilige
Strophe ist wohl nur brauchbar, wenn der dritten Zeile eine
solche Beschwerung gegeben wird, daß sie die beiden ersten
auswiegt. Matthias Claudius ist einmal die Lösung gelungen,
übrigens in reimlosen und freigefüllten Zeilen:

Der Säemann

Der Säemann säet den Samen,
Die Erd empfängt ihn, und über ein kleines
Keimet die Blume herauf.

Du liebtest sie; was auch dies Leben
Sonst für Gewinn hat, war klein dir geachtet,
Und sie entschlummerte dir ...

Der Adler besuchte die Erde,
Doch säumt nicht, schüttelt vom Flügel den Staub und
Kehret zur Sonne zurück.

Aus neuerer Zeit ist Hugo von Hofmannsthal als einer der
wenigen zu nennen, der die dreizeilige Strophe wirklich ge-
bändigt hat.

3. Fünfzeilige Strophen

Wir möchten sie eine verkannte Schönheit nennen; denn wenn
sie auch in allen Zeiten hie und da zu finden ist, so verdiente
sie doch viel mehr Beachtung. Die Reimverteilung ist mannig-
faltig: a a b a b; a a b b a; a b a a b. Die Fünfzeiligkeit bedeutet
ein Ritardando, man könnte auch von Trugschluß sprechen:
das verwirklicht sich bei der dritten Reimform am klarsten.
In der Form liegt die Bedingung, daß die fünfte Zeile gewich-
tig ist und kräftig abschließt. Wir geben als Probe Strophen aus
einem Gedicht Christian Günthers, das volksläufig wurde und
dann die Grundlage für ein Gedicht Hauffs bildete:

Günther: Wie gedacht,
Vor geliebt, itzt ausgelacht.
Gestern in die Schoß gerissen,
Heute von der Brust geschmissen,
Morgen in die Gruft gebracht.

Dieses ist
Aller Jungfern Hinterlist:
Viel versprechen, wenig halten,
Sie entzünden und erkalten
Öfters, eh ein Tag verfließt.

Dein Betrug,
Falsche Seele, macht mich klug.
Keine soll mich mehr umfassen,
Keine soll mich mehr verlassen;
Einmal ist fürwahr genug ...

Und wie bald
Mißt die Schönheit die Gestalt!
Rühmst du gleich von deiner Farbe,
Daß sie ihresgleichen darbe,
Ach, die Rosen werden alt.

Hauff: Morgenrot,
Leuchtest mir zum frühen Tod?
Bald wird die Trompete blasen,
Dann muß ich mein Leben lassen,
Ich und mancher Kamerad!

Kaum gedacht,
War der Lust ein End gemacht.
Gestern noch auf stolzen Rossen,
Heute durch die Brust geschossen,
Morgen in das kühle Grab.

Ach wie bald
Schwindet Schönheit und Gestalt!
Tust du stolz mit deinen Wangen,
Die wie Milch und Purpur prangen?
Ach! die Rosen welken all!

Darum still
Füg ich mich, wie Gott es will.
Nun, so will ich wacker streiten,
Und sollt ich den Tod erleiden,
Stirbt ein braver Reitersmann.

Wir geben noch zwei Proben; die erste soll zeigen, wie klapprig
die fünfzeilige Strophe wird, wenn die Beschwerung der letzten
Zeile fehlt; die andere soll noch einmal ihre Schönheit offenbaren, wenn ein Meister sie in die Hand nimmt.

   ...
   Ein Wohltrank ohne Neige,
   Ein Wohltraum ohne Ende
   Dein Lied, solang ich schweige.
   Ich liebe deine Geige,
   Vielleicht noch deine Hände.

Ein Satzschluß nach der dritten Zeile muß ja immer die Form töten, da nun der retardierende Trugschluß unmöglich gemacht ist. Dagegen nun Storms *Die Stadt:*

> Am grauen Strand, am grauen Meer
> Und seitab liegt die Stadt;
> Der Nebel drückt die Dächer schwer,
> Und durch die Stille braust das Meer
> Eintönig um die Stadt.
>
> Es rauscht kein Wald, es schlägt im Mai
> Kein Vogel ohn Unterlaß;
> Die Wandergans mit hartem Schrei
> Nur fliegt in Herbstesnacht vorbei,
> Am Strande weht das Gras.
>
> Doch hängt mein ganzes Herz an dir,
> Du graue Stadt am Meer;
> Der Jugend Zauber für und für
> Ruht lächelnd doch auf dir, auf dir,
> Du graue Stadt am Meer.

Der Vergleich läßt (neben der fehlenden Beschwerung in der fünften und dem lähmenden Satzschluß in der dritten Zeile) noch einen dritten Mangel erkennen, der die erste Probe mißglücken ließ: die fehlende Differenzierung der Zeiten. Storm erreicht es durch verschiedene Länge; in anderen Fällen wechseln männlicher und weiblicher Ausgang. Und noch eine allgemeine Feststellung läßt sich treffen: da in der fünfzeiligen Strophe alle Wirkung von den als Einheit verwendeten Zeilen ausgeht, dürfen diese nicht zu lang sein. Sonst treten Gliederungen ein, die das Spiel der Bewegung stören oder gar zerstören.

4. *Achtzeilige Strophen*

Wir haben bereits die schlichte, volkstümliche Form genannt, die aus der Zusammensetzung zweier Vierzeiler entsteht. Ein wirklich achtzeiliges Gefüge ist indessen die s t a n z e (Oktave), eine Fürstin unter den Strophenformen. Ihr Reimschema ist a b a b a b c c. In ihrer italienischen Heimat umfaßt die einzelne Zeile dabei elf Silben; im Deutschen würde dem der fünfhebige Jambus mit durchweg weiblichem Ausgang entsprechen. Heinse und Goethe führten aber die glückliche Neuerung von abwechselnd weiblichem und männlichem Ausgang ein, und in dieser Gestalt hat sich die Stanze bei uns durchgesetzt.

> Stanze, dich schuf die Liebe, die zärtlich schmachtende – dreimal
> Fliehest du schamhaft und kehrst dreimal verlangend zurück.

So suchte Schiller ihr Wesen zu deuten, uns aber scheint dabei das Wesentliche verschwiegen: die klare Zweiteiligkeit. Denn das dreimal wiederkehrende Zeilenpaar stellt doch nur die große Freitreppe dar, über der sich nun der krönende Abschluß des Reimpaares erhebt. Der zweite Teil der Strophe bekommt seinen gewichtigen, seinen gegengewichtigen Charakter nicht nur durch die gewandelte Reimstellung, sondern auch durch einen Wandel der Redeform: indem er die ersten sechs Zeilen zusammenfaßt oder indem er einen Gegensatz zu ihnen aufstellt oder indem er Beschreibung in Handlung lenkt oder Erzählung mit einer Sentenz krönt usf. Wir geben zwei Stanzen, eine aus Goethes *Zueignung*, als Beispiel für die zusammenfassende Kraft des Reimpaares, die andere aus Goethes *Epilog zu Schillers Glocke*, als Beispiel für krönende Sentenz.

> Der Morgen kam; es scheuchten seine Tritte
> Den leisen Schlaf, der mich gelind umfing,
> Daß ich erwacht, aus meiner stillen Hütte
> Den Berg hinauf mit frischer Seele ging;
> Ich freute mich bei einem jeden Schritte
> Der neuen Blume, die voll Tropfen hing;
> Der junge Tag erhob sich mit Entzücken,
> Und alles war erquickt, mich zu erquicken.
>
> *Denn er war unser!* Mag das stolze Wort
> Den lauten Schmerz gewaltig übertönen!
> Er mochte sich bei uns im sichern Port
> Nach wildem Sturm zum Dauernden gewöhnen.
> Indessen schritt sein Geist gewaltig fort
> Ins Ewige des Wahren, Guten, Schönen,
> Und hinter ihm in wesenlosem Scheine
> Lag, was uns alle bändigt, das Gemeine.

Wir hätten freilich das wirksamste Mittel verschwiegen, das dem schließenden Reimpaar seine Eigenheit gegenüber den vorangehenden Zeilen gibt, wenn wir nicht wenigstens flüchtig auf den Wandel im Rhythmus wiesen, mit dem bei Goethe wie in allen guten Stanzen die Zweiteiligkeit ohrenfällig wird.

Der festliche Charakter der Stanze verlangt beträchtlichen Raum zu seiner Entfaltung. Ein kleines lyrisches Gedicht würde in ihr verschwinden. Tatsächlich tritt sie innerhalb der deutschen Lyrik meist in umfangreichen Gedichten auf. In Italien, Spanien und Portugal ist sie das bevorzugte epische Maß geworden. Auch bei uns findet sie sich gelegentlich in dieser Verwendung. Aber es scheint, als bedeute der Halt im Reimpaar einen zu starken Aufenthalt. Auf jeden Fall mindert die Stanze durch ihr Wesen die Teilnahme an dem epischen Verlauf und verlangt beträchtliche Aufmerksamkeit für ihren künstlerischen Schmuck und Faltenwurf. Schellings Bedenken, die er in seiner *Philosophie der Kunst* (in dem Abschnitt über die «Konstruktion der einzelnen Dichtarten») so deutlich äußert, haben in diesen Eigenheiten der Stanze ihren Grund: «Die gleichmäßigste neuere Versart ist die Stanze, aber sie hat nicht so das Ansehen unmittelbarer Inspiration und Abhängigkeit von dem Fortschreiten des Gegenstandes als der Hexameter, schon darum, weil sie ein ungleichförmiges Versmaß ist und sich in Strophen absondert und demnach auch überhaupt künstlicher und mehr als Werk des Dichters wie als Form des Gegenstandes erscheint.»

Mancherlei Abarten der Stanze gibt es. Gleichfalls aus Italien kommt die SIZILIANE, die viermal das Paar a b aneinanderreiht. Das wird im Deutschen zur Artistik, da wir nicht mit der Leichtigkeit der romanischen Sprachen reimen; außerdem zerfließt dadurch die Strophe. So ist es mit ihr bei Experimenten geblieben.

Vielfach hat man den Dreireim beseitigt. Aber dann verliert die Stanze ihre Eigentümlichkeit; sie nähert sich dann den schlichten Achtzeilern.

Eine besondere Umformung machte sie in England durch.

Die «Spenser-Stanze» läßt auf die acht Zeilen mit der Reim
ordnung a b a b b c b c eine neunte Zeile folgen, die den letzten
Reim (c) wiederholt, aber um eine sechste Hebung länger ist.
Das unterstreicht den Strophenschluß kräftig. Bei uns ist die
Form freilich nicht heimisch geworden.

5. Die Familie der klassischen Strophenformen

a) DAS DISTICHON. Die zweizeilige Strophe setzt sich aus
einem Hexameter und einem Pentameter zusammen. So allein
gebraucht, eignet sie sich für prägnante Sprüche: durch Goethes und Schillers «Xenien» ist sie jedem bekannt. Die Verschiedenheit der Zeilen verstärkt wirkungsvoll eine gedankliche Antithetik. Wir haben dem Leser schon einige Distichen
Schillers vorgeführt, hier folge noch ein belehrendes:

> Jeden andern Meister erkennt man an dem, was er ausspricht,
> Was er weise verschweigt, zeigt mir den Meister des Stils.

Die Aneinanderreihung von Distichen kennzeichnete in der
Antike die Form der Elegie. So erklärt sich der Goethesche
Titel der «Römischen Elegien», deren Ton uns ja so wenig
«elegisch» vorkommt. In der deutschen Dichtung ist diese
Form zu längeren erzählenden, belehrenden, mitunter auch zu
wirklich elegischen Gedichten verwendet worden. Immer ist
der Tonfall gehoben, wie um die fortlaufenden Distichen (und
alle anderen antiken Maße) stets klassische Luft weht. Sie
führen indes heute ein sehr verstecktes Dasein.

b) DIE ALKÄISCHE ODE

Ihr Schema ist:

$$\cup - \cup - \cup - \cup \cup - \cup -$$
$$\cup - \cup - \cup - \cup \cup - \cup -$$
$$\cup \;\; \cup - \cup - \cup - \cup$$
$$- \cup \cup - \cup \cup - \cup - \cup$$

Als Probe geben wir eine Strophe von Hölderlin, die der
Leser unbefangen sprechen möge:

Vor seiner Hütte ruhig im Schatten sitzt
Der Pflüger, dem Genügsamen raucht sein Herd.
Gastfreundlich tönt dem Wanderer im
Friedlichen Dorfe die Abendglocke.

Man spürt in der dritten Zeile eine Schwierigkeit. Liest man,
wie es sich aufdrängt: tönt dem Wánderer im Fríedlichen ...,
so stört unüberhörbar die vereinzelte dreisilbige Senkung den
Rhythmus. Tatsächlich weist das Schema die Lesung Wánderér
an. Aber erfüllen wir sie, so wirkt solche Hervorhebung einer
unbetonten Silbe als unnatürlich.

Es ist ein Dilemma, dem man in Hölderlins klassischen Vers-
maßen immer wieder begegnet. Man kann die schwachen
Silben nicht fallen lassen, ohne das rhythmische Gefüge ins
Gleiten zu bringen, und man kann sie nicht betonen, ohne
gespreizt zu wirken. Solche Stellen lassen sich auch nicht als
gerade hier gewollte, besonderen Ausdruck tragende Ver-
schleierungen des Metrums entschuldigen; dazu sind sie schon
viel zu häufig. Und leicht ließe sich nachweisen, daß schon
der ganz junge Hölderlin, in den klassischen Strophen der
Maulbronner Zeit, sich solche Lässigkeiten erlaubt. Geschah
es unter dem Druck falscher Vorbilder? Man hat auch darauf
gewiesen, daß der schwäbischen Mundart eine Neigung zur
Hervorhebung sonst unbetonter Endsilben in Worten wie
Wanderér, Liebendér u.s.f. eigen sei. Das alles sind Erklä-
rungen, die die Problematik von Hölderlins Versen in klassischen Metren verstehen lassen, sie aber nicht aus dem Wege
räumen.

c) DIE ASKLEPIADEISCHE ODE

Das Schema ist:

$$- \cup - \cup \cup - - \cup \cup - \cup -$$
$$- \cup - \cup \cup - - \cup \cup - \cup -$$
$$- \cup - \cup \cup - \cup$$
$$- \cup - \cup \cup - \cup -$$

Abwandlungen kommen besonders in der dritten Zeile vor.
Als Probe eine Strophe von Hölty:

Wenn der silberne Mond durch die Gesträuche blickt
Und sein schlummerndes Licht über den Rasen geußt
Und die Nachtigall flötet,
Wandl ich traurig von Busch zu Busch.

Der Zusammenstoß zweier Hebungen in den ersten beiden
Zeilen bewirkt einen spürbaren Einschnitt und damit die Auf-
gliederung in spiegelbildlich angeordnete Halbzeilen. Indem
nun die erste Halbzeile noch einmal als dritte Zeile erscheint,
die zweite Halbzeile als abschließende und durch die Erweiterung um den einleitenden «Trochäus» besonders ausgezeich-
nete vierte Zeile, bekommt die asklepiadeische Strophe im
Unterschied zu der weicheren alkäischen einen sehr klaren und
festen Bau.

d) DIE SAPPHISCHE ODE

Ihr Schema:

$$- \cup - \cup - \cup \cup - \cup - \cup$$
$$- \cup - \cup - \cup \cup - \cup - \cup$$
$$- \cup - \cup - \cup \cup - \cup - \cup$$
$$- \cup \cup - \cup$$

Um Eintönigkeit zu vermeiden, führte Klopstock die Neuerung
ein, die zweisilbige Senkung ihren Platz wechseln zu lassen;
er gebrauchte sie in der ersten Zeile als erste Senkung, in der
zweiten als zweite und in der dritten als dritte Senkung. Platen
hat indes stets die strengere Form gewählt:

Stets am Stoff klebt unsere Seele, Handlung
Ist der Welt allmächtiger Puls, und deshalb
Flötet oftmals tauberem Ohr der hohe
Lyrische Dichter.

Fast alle Dichter, die in klassischen Odenmaßen schreiben,
springen so wie Platen über die Zeilen. Nicht selten auch mit
der gleichen Leichtigkeit über die Strophen. Das geschieht
nicht wie etwa beim fünffüßigen Jambus, um Eintönigkeit zu
vermeiden, um eine feste Form zu umspielen, die dann doch
immer wieder durchklingt. Es geschieht grundsätzlich. Die
Berufung auf die Antike ist nicht recht stichhaltig; denn wir
wissen nicht, ob sich da nicht vielleicht die Versgliederung

gegen die Sprachgliederung im Vortrag durchsetzte. In den deutschen Dichtern regt sich wohl zutiefst ein Drang nach Bewegtheit, der Wunsch, nicht zu starr zu werden. Es ist hier nicht der Ort, um die Frage nach dem Wesen und den Möglichkeiten der klassischen Odenformen vom Grund aufzurollen. Fest steht jedenfalls, daß sie im ganzen selten anzutreffen sind, so gewiß es immer wieder einzelne leidenschaftliche Anhänger gegeben hat. Die Reihe Klopstock, Hölty, Hölderlin, Platen wird in der Gegenwart von Rudolf Alexander Schröder fortgeführt. Und wir gestehen gern: bei ihm wird besser als bei allen Vorgängern erfüllt, was erfüllt werden *muß*, damit wir uns mit den antiken Maßen befreunden können und nicht dauernd beim Lesen auf das darüber gedruckte oder daneben gehaltene Schema blicken müssen, um die rechte Betonung zu treffen. Ein Verslehrer hat die Forderung auf die kurze Formel gebracht, es sei «Sache der Dichter, den gewollten Zeitfall so zu verwirklichen, daß wir Leser ihn als idealen Ausdruck der Silbenreihe spüren». Wir geben zum Abschluß drei alkäische Strophen Rudolf Alexander Schröders:

Zieh deine Furchen, Bauer, wie sonst durchs Land
Und streu den Samen über die Schollen aus.
    Vielleicht wogt doch im Erntemond dir
    Friedlich zu Häupten die blonde Halmfrucht.

Tritt unters Dach zu nüchternem Mahl und lieg
Bei deiner Hausfrau über die Nacht. Vielleicht
    Daß sie den neugebornen Knaben
    Künftig im Arme dir weisen dürfe ...

Sprich Recht, o Richter, drinnen am Markt! Noch heut
Gilt Spruch und Satzung, komme, was kommen will.
    Ein Mann hält sich bereit. Er mag nicht
    Fragen und deuten, bevor die Zeit kam.

VIERTES KAPITEL

GEDICHTSTROPHEN UND GEDICHTFORMEN

GEDICHTSTROPHEN

Es gibt im Sprechen Fälle, bei denen eine vollständige Rede aus einem Satz, aus einem Wort, ja aus einer Silbe besteht, wie etwa bei dem Ruf: «Raus!» Es gibt ähnliche Fälle in der Verskunst, Fälle also, in denen ein vollständiges Gedicht dem äußeren Anschein nach nur aus einer Strophe besteht. Aber wie natürlich die schlichte Silbe «raus» mehr in sich bergen muß als ihre bloße Lautung, um als Rede fungieren zu können, so enthalten diese scheinbaren Strophen ein Mehr gegenüber den gewöhnlichen Strophen, ein Mehr an Geschlossenheit, Rundung, an Fügung, um ein vollständiges Gedicht bergen zu können. Wir sind einem solchen Fall schon bei dem Distichon begegnet. Es läßt sich strophisch aneinanderreihen; sobald es aber allein steht und einen abgeschlossenen Spruch trägt, aktualisiert es die innewohnende Anlage zur Gegensätzlichkeit.

Fast alle der hier zu besprechenden «Gedichtstrophen» sind aus dem Auslande zu uns gekommen. Wir beginnen mit einigen, die aus Frankreich übernommen wurden. Die graziöse Form des TRIOLETTS besteht aus acht Zeilen. Der erste Vers kehrt als solcher oder in ganz leichter Abänderung als vierter und siebenter wieder, der zweite Vers wiederholt sich als abschließender achter. Aber die Form wird durch die Beschränkung auf nur zwei Reime noch kunstvoller: die dritte und fünfte Zeile reimen auf die erste, die sechste auf die zweite, so daß sich als Reimschema ergibt: (a) (b) a (a) a b (a) (b). Die umklammerten Zeilen sind jeweils identisch. Als Beispiel für die anmutige Form, die im 18. Jahrhundert wie bei den Romantikern recht beliebt war, setzen wir eins der ältesten deutschen Trioletts. Es ist von dem Anakreontiker Hagedorn einem französischen Vorbild nachgedichtet worden.

Der erste Mai
Der erste Tag im Monat Mai
Ist mir der glücklichste von allen.
Dich sah ich und gestand dir frei,
Den ersten Tag im Monat Mai,
Daß dir mein Herz ergeben sei.
Wenn mein Geständnis dir gefallen,
So ist der erste Tag im Monat Mai
Für mich der glücklichste von allen.

Aus Frankreich stammt auch das RONDEAU, das unsere
Barockdichter Ringelgedicht oder Rundum nannten. Wieder
klingen nur zwei Reime durch die ganze Gedichtstrophe. Aber
sie selber ist in sich gegliedert, und zwar können es, dem Sinne
nach, zwei oder drei Teile sein. Indem sich nun die Anfangs-
worte der ersten Zeile am Schluß jedes Teils wiederholen, entsteht der Rundum-Charakter. Für uns liegt über dem Rondeau
wie über dem Triolett etwas von dem spielerischen Geist des
Rokoko. Doch darf das nicht zeitlich verstanden werden, als
seien diese Formen nur oder erst damals gepflegt worden. Wir
geben als Beispiel das Gedicht eines Zeitgenossen von Opitz
aus dem Anfang des 17. Jahrhunderts, Weckherlins *Rundum*
mit dem Untertitel: «An eine große Fürstin». Es weist noch
die ursprüngliche Form auf, in der der Umfang auf 13 Zeilen
festgelegt war und die Wiederholungen nach der achten und
dreizehnten Zeile erfolgen mußten.

Ein kleine Weil, als ungefähr
Ich Euch in einem Saal gefunden,
Sah ich Euch an; bald mehr und mehr
Hat Euer Herz mein Herz verbunden;
Ihr auch liebäugeltet mir sehr,
Dadurch ich, weiß nicht was, empfunden,
Das meinem Geist, dann leicht, dann schwer
Aus Lieb und Leid alsbald geschwunden
    ein kleine Weil:
Bis ich von Eurer Augen Lehr
Und Ihr von meiner Seufzer Mär
Die Schuldigkeit der Lieb verstunden,
Darauf wir heimlich ohn Unehr
Einander fröhlich überwunden
    ein kleine Weil.

Der Leser wird wie beim Triolett spüren, daß die Formen einen guten Teil ihrer Anmut verlieren würden, wählte der Dichter «lange» Zeilen.

Aus dem Italienischen, genauer: dem italienischen Singspiel, kam das MADRIGAL zu uns. Es ist eine in sich geschlossene Gruppe von 3 bis etwa 20 Versen, deren Zeilen beliebig lang und auch von verschiedenem metrischen Charakter sind. Es wechseln also jambische, trochäische, daktylische Zeilen in bunter Folge ab; auch bei der Reimordnung herrscht völlige Freiheit. Selbst eingestreute reimlose Verse, sogenannte Waisen, gehören anfangs zum Madrigal. In Deutschland erscheint es wie in seinem Heimatlande oft in den Rezitativen der Singspiele, Opern und Oratorien, aber schon im 17. Jahrhundert, also bald nach seiner Übernahme, tritt es auch als Form der reinen Wortkunst auf. Es wurde bald vereinfacht, d. h. man ging dazu über, einheitliche, meist jambische Zeilen von verschiedener Länge zu verbinden, und schloß dann auch die Waisen aus. In dieser lockeren Art verlor es seinen Gedichtcharakter, die Verse entsprechen nun genau den *vers libres* der Franzosen. Wir treffen sie daher im 18. Jahrhundert auch außerhalb der Lyrik: Gellert schrieb in ihnen seine Fabeln, Wieland seine Verserzählungen, und vertraut sind sie uns aus weiten Strecken des *Faust:*

> Wenn ich sechs Hengste zahlen kann,
> Sind ihre Kräfte nicht die meine?
> Ich renne zu und bin ein rechter Mann,
> Als hätt ich vierundzwanzig Beine.
> Drum frisch! laß alles Sinnen sein,
> Und grad mit in die Welt hinein!
> Ich sag es dir: ein Kerl, der spekuliert,
> Ist wie ein Tier, auf dürrer Heide
> Von einem bösen Geist im Kreis herumgeführt,
> Und ringsumher liegt schöne, grüne Weide.

Die Romantiker suchten das Madrigal als lyrisches Maß in seiner alten Form zu beleben. Aber inzwischen war die deutsche Verskunst so aufgelockert, daß ein beweglicher Dichter sozusagen von sich aus die Form neu bilden konnte. Das Madrigal fließt in keinem eigenen Strombett mehr. Wir geben als Probe der strengeren romantischen Übung Eichendorffs *Lerche*:

> Ich kann hier nicht singen,
> Aus dieser Mauern dunklen Ringen
> Muß ich mich schwingen
> Vor Lust und tiefem Weh.
> O Freude, in klarer Höh
> Zu sinken und sich zu heben,
> In Gesang
> Über die grüne Erde dahin zu schweben,
> Wie unten die licht' und dunkeln Streifen
> Wechselnd im Fluge vorüberschweifen,
> Aus der Tiefe ein Wirren und Rauschen und Hämmern,
> Die Erde aufschimmernd im Frühlingsdämmern,
> Wie ist die Welt so voller Klang!
> Herz, was bist du bang?
> Mußt aufwärts dringen!
> Die Sonne tritt hervor,
> Wie glänzen mir Brust und Schwingen,
> Wie still und weit ist's droben am Himmelstor!

Auf dem Umweg über Persien kam zur Zeit der Romantiker die aus dem Arabischen stammende Form des GHASEL oder, wie der Name auf deutsch lauten würde, «das Gespinst». Eigentlich setzt es sich aus Verspaaren zusammen; aber es wird zum einheitlichen Gedicht, indem man deren Zahl auf 3 bis 10 beschränkt und nach dem ersten Reimpaar allen geraden Zeilen den gleichen Reim als wiederkehrendes Muster einflicht. Die ungeraden Zeilen bleiben reimlos. Man kann auch den Reim weiter innen anfangen lassen, dann dürfen nach dem ersten und eigentlichen Reim die gleichen Wörter und Wendungen wiederkehren. Trotz aller Bemühungen eines Rückert und Platen ist uns die Form nicht geläufig geworden. Die so kunstvolle Eintönigkeit wirkt auf uns fremdartig. Und schließlich braucht es ziemliche Mühe, um acht-, neun-, zehnmal den gleichen Reim zu finden; ohne merklichen Zwang geht es da selten ab, und so gibt es kaum ein deutsches Ghasel, bei dem der Leser die Haltung des gegenüberstehenden, vielleicht sogar bewundernden Zuschauers aufgäbe und in den Bannkreis der Verse selbst geriete. Als Beispiel diene ein kurzes Ghasel Platens:

Der Strom, der neben mir verrauschte, wo ist er nun?
Der Vogel, dessen Lied ich lauschte, wo ist er nun?
Wo ist die Rose, die die Freundin am Herzen trug,
Und jener Kuß, der mich berauschte, wo ist er nun?
Und jener Mensch, der ich gewesen, und den ich längst
Mit einem andern Ich vertauschte, wo ist er nun?

Platen bevorzugt die langen, jambischen Zeilen; doch fehlt es
nicht an kurzen oder trochäischen, und gelegentlich gebraucht
er auch Zeilen mit eingestreuter zweisilbiger, dann aber fest-
liegender Senkung.

GEDICHTFORMEN

Echte Gedichtformen gibt es wenige. Alle Strophen, die wir
behandelten (und auch alle nicht behandelten) sind in sich geschlossene Gebilde, enthalten aber keine Anweisung für eine
höhere Gliederung oder ihre Fügung zum Gedicht. Gewiß
spürt man hier und da Tendenzen, zu einer festen Strophenzahl
zu kommen. So ließen die Meistersänger nur drei oder eine
Vielzahl von drei Strophen zu, so verlangten die Humanisten
von der «pindarischen Ode» den dreiteiligen Aufbau aus
«Strophe», «Gegenstrophe» und (abweichend gefügter) «Nach-
strophe». An Eichendorffs Liedern spürt man deutlich eine
Neigung zu Drei- oder Vierstrophigkeit, und vielleicht empfindet man auch bei der fünfzeiligen Strophe eine ganz leichte
Anweisung, sie lieber drei- oder fünfmal als zwei- oder viermal
folgen zu lassen – aber all das reicht nicht sehr weit und schlägt
keine festen Brücken von der Strophe zum Gedicht. Es gibt
also in der Lyrik nichts, was sich der Tendenz zur Fünfaktig-
keit in der Tragödie oder zur Dreiaktigkeit in der Komödie
vergleichen ließe.

So entspringt denn auch die feste Strophenzahl der SESTINE
im Grunde einer Äußerlichkeit. Der provenzalische Trouba-
dour Arnaud Daniel «erfand» die Form, die schnell in der
Romania Anerkennung, bei den italienischen Renaissance-
poeten wie Petrarca helle Bewunderung auslöste. Sechs sechszeilige Strophen gehören dazu, aber so gebaut, daß in jeder

Strophe die Schlußworte aus den Zeilen der ersten Strophe als Zeilenenden wiederkehren. Die Reihenfolge ist dabei nicht freigestellt; als Endwort der ersten Zeile einer Strophe muß z. B. das Endwort aus der letzten Zeile der vorangehenden Strophe dienen. Die übliche Reihenfolge, die freilich Abwandlungen kennt, ist 6 1 5 2 4 3. Eine dreizeilige «Geleitstrophe» bildet den Abschluß; jede Zeile enthält dabei zwei jener Wörter, eins in der Mitte und eins am Ende; ihre Reihenfolge gleicht dem Vorkommen in der ersten Strophe. Als Zeile wird im Deutschen meist der fünfhebige Jambus gebraucht. Nicht selten reimen je drei der entscheidenden Wörter, eine Bindung, die zunächst nicht erforderlich war.

Diese kunstvolle, scheinbar so unter der Herrschaft der Zahl stehende Form erhält etwas Schwebendes und Schillerndes, da die gleichen Wörter in immer anderen Sinnbezügen auftreten. Solche «Ingeniosität» zu beweisen, war ein Reiz für die Barockdichter, sie nachzugenießen, ein Reiz für die damaligen Leser und Hörer. Aber diese Entgrenzung der Wörter kam auch dem Sprachgefühl der Romantiker entgegen; die Sestine drang bei Zacharias Werner sogar ins Drama. Sie ist dann immer wieder einmal von formfrohen Dichtern verwendet worden. Als Beispiel geben wir eine Sestine von Friedrich Rückert:

Sestine
(aus den italienischen Gedichten)

Wenn durch die Lüfte wirbelnd treibt der Schnee,
Und lauten Fußtritts durch die Flur der Frost
Einhergeht auf der Spiegelbahn von Eis;
Dann ist es schön, geschirmt vorm Wintersturm,
Und unvertrieben von der holden Glut
Des eignen Herds, zu sitzen still daheim.

O dürft' ich sitzen jetzt bei der daheim,
Die nicht zu neiden braucht den reinen Schnee,
Die mit der sonn'gen Augen sanfter Glut
Selbst Funken weiß zu locken aus dem Frost!
Beschwören sollte sie in mir den Sturm,
Und tauen sollte meines Busens Eis.

Erst muß am Blick des Frühlinges das Eis
Des Winters schmelzen, und nach Norden heim,
Verscheucht vom Lenzhauch, ziehn der laute Sturm;
Eh' ich darf ziehn dorthin, wo ich den Schnee
Der Hand will küssen, den, weil Winterfrost
Ihn nicht erschuf, nicht tötet Sommerglut.

Die Sehnsucht brennt in mir wie Sommerglut,
Aufzehrend innerlich wie mürbes Eis
Mein Herz, inmitten von des Winters Frost;
Und rastlos stäuben die Gedanken heim
Nach ihrem Ziel, sich kreuzend wie der Schnee,
Den flockend durcheinander treibt der Sturm.

O daß mich fassend zu ihr trüg' ein Sturm,
Damit gestillet würde meine Glut!
Und dürft' ich als ein Flöckchen auch von Schnee
Nur, oder als ein Nädelchen von Eis
Das Dach berühren, wo sie ist daheim;
Nicht fühlen wollt' ich da des Winters Frost.

Wer fühlet, wo der Frühling atmet, Frost?
Wen schrecket, wo die Liebe sonnet, Sturm?
Wer kennet Ungemach, wo sie daheim?
Sie, die mir zuhaucht sanfte Lebensglut
So fern her über manch' Gefild von Eis
Und manch' Gebirg, bedeckt von rauhem Schnee.

Mit Blütenschnee schmückt sich der kahle Frost,
Das Eis wird Lichtkristall und Wohllaut Sturm,
Wo ich voll Glut zu dir mich denke heim.

Die GLOSSE, die aus Spanien eingeführt wurde, besteht aus
einem vierzeiligen Motto, das selbstgedichtet oder übernommen sein kann, und vier Strophen, die das Motto derart glossieren, daß je eine Zeile daraus als Schlußzeile einer Strophe
wiederkehrt. Auch bei der Glosse besteht also ein Reiz in dem
Wandel der Sinnbezüge. Die Strophen selber sind üblicherweise zehnzeilig mit der Reimverteilung a b a b a, c d c c d.
Aber schon in Spanien wurde das variiert. Die Glosse ist zur
Zeit unserer Romantiker überaus beliebt gewesen; mehrfach
wurde dabei Tiecks Vierzeiler als Motto benutzt, den er selber
im *Aufzug der Romanze* gleich glossiert hatte:

Mondbeglänzte Zaubernacht,
Die den Sinn gefangen hält,
Wundervolle Märchenwelt,
Steig auf in der alten Pracht.

Aber auch späterhin ist sie nicht völlig geschwunden. Als Probe geben wir eine Uhlandsche Glosse über ein anderes Tiecksches Thema:

Der Rezensent

Süße Liebe denkt in Tönen,
Denn Gedanken stehn zu fern,
Nur in Tönen mag sie gern
Alles, was sie will, verschönen.

Schönste! du hast mir befohlen,
Dieses Thema zu glossieren;
Doch ich sag es unverhohlen:
Dieses heißt die Zeit verlieren,
Und ich sitze wie auf Kohlen.
Liebtet ihr nicht, stolze Schönen!
Selbst die Logik zu verhöhnen,
Würd ich zu beweisen wagen,
Daß es Unsinn ist, zu sagen:
Süße Liebe denkt in Tönen.

Zwar versteh ich wohl das Schema
Dieser abgeschmackten Glossen,
Aber solch verzwicktes Thema,
Solche rätselhaften Possen
Sind ein gordisches Problema.
Dennoch macht' ich dir, mein Stern!
Diese Freude gar zu gern.
Hoffnungslos reib ich die Hände,
Nimmer bring ich es zu Ende,
Denn Gedanken stehn zu fern.

Laß, mein Kind, die span'sche Mode!
Laß die fremden Triolette!
Laß die welsche Klangmethode
Der Kanzonen und Sonette!
Bleib bei deiner sapph'schen Ode!
Bleib der Aftermuse fern
Der romantisch süßen Herrn!
Duftig schwebeln, luftig tänzeln
Nur in Reimchen, Assonänzeln,
Nur in Tönen mag sie gern.

Nicht in Tönen solcher Glossen
Kann die Poesie sich zeigen;
In antiken Verskolossen
Stampft sie besser ihren Reigen
Mit Spondeen und Molossen.
Nur im Hammerschlag und Dröhnen
Deutschhellenischer Kamönen
Kann sie selbst die alten, kranken,
Allerhäßlichsten Gedanken,
Alles, was sie will, verschönen.

Aus dem Italienischen kam im 16. Jahrhundert das SONETT
zu uns. Nach kurzer Zeit war es zur beliebtesten Gedichtform
geworden, um dann im 18. Jahrhundert spurlos aus der deutschen Lyrik zu verschwinden. Erst Bürger und die Romantiker
haben es von neuem gepflegt. Bald nach 1800 sprach man von
der «Sonettwut», die die Dichter ergriffen habe. Und dieses
Mal gab selbst Goethe nach. An sich ist ja auffällig, wie ab-
lehnend er sich den meisten der hier besprochenen ausländi-
schen Strophen- und Gedichtformen gegenüber verhielt. Die
von seinen Zeitgenossen so lebhaft erörterten und gehandhab-
ten antiken Odenmaße, von denen man meinen könnte, sie
seien zumindest dem klassischen Goethe als lebendiges Erbe
der Antike bedeutsam gewesen, ließ er liegen; im *Divan* trifft
sie sogar die harte Bezeichnung «hohle Masken ohne Blut und
Sinn». Auch um die bisher beschriebenen Gedichtstrophen und
Gedichtformen hat er sich nicht gekümmert. Wie nahe hätte
es gelegen, im *Divan* etwa die östliche Form des Ghasels vor-
zuführen. Aber jenes Wort von den hohlen Masken (aus dem
Gedicht *Nachbildung* im Buch Hafis) gilt auch für sie, und so
erscheinen nur einige wenige Abwandlungen, die kaum noch
als solche kenntlich sind. Auch das Sonett lehnte Goethe zunächst ab: er könne da nicht aus ganzem Holze schneiden,
sondern müsse leimen. Bis dann auch ihn, freilich für sehr
kurze Zeit, die Form bezwang – und er sie. Nach der Romantik
trat das Sonett wieder zurück. Freilich gibt es nur wenige
Dichter, wie z. B. die Droste oder Storm, die es nicht einmal
erprobt hätten. Zu der Beliebtheit des Sonetts trug nicht wenig

seine Eignung bei, sich zu Zyklen zusammenstellen zu lassen, und dabei wirkte neben dem Vorbild Petrarcas und anderer Romanen das Beispiel Shakespeares. So finden sich denn auch in der deutschen Literatur berühmte Sonettzyklen wie Rückerts *Geharnischte Sonette*, Platens *Sonette aus Venedig* oder aus neuerer Zeit Rilkes *Sonette an Orpheus*.

Das Sonett besteht aus 14 Zeilen, die sich deutlich in vier Strophen gliedern: zwei Vierzeilern (Quartetten) folgen nach einem kräftigen Einschnitt zwei Dreizeiler (Terzette). Die Reimordnung ist a b b a a b b a c d c d c d. In den Terzetten tauchen schon früh Variationen auf (cde cde; ccd ede u. a.); bei den Quartetten hat sich in Frankreich wie in Deutschland die Freiheit durchgesetzt, jede Strophe besonders zu reimen (abba cddc; abab cdcd u. a.). Dagegen hat die englische Abwandlung kaum Anklang gefunden, die mit einem selbständigen Reimpaar schließen läßt und die vorangehenden Verse in drei Vierzeiler gliedert. Tatsächlich wandelt sich damit die Struktur nicht unbeträchtlich. Eines aber bleibt gewahrt, steigert sich eher noch: das einer Spitze, einem klaren, pointierten Schluß Zustreben der ganzen Form.

Alle äußeren Merkmale weisen darauf, daß ein schlichtes Singen bei dieser Gedichtform ebenso ungemäß wäre wie ein hymnisches Aufsingen; der Ton wird eher reflektierend sein oder deutend-verheißend, wobei immer eine klare gedankliche Führung und Fügung dem Formwillen am besten entspricht.

Als Beispiel für ein strenges Sonett wählen wir Platens:

Das Sonett an Goethe

Dich selbst, Gewaltger, den ich noch vor Jahren
Mein tiefes Wesen witzig sah verneinen,
Dich selbst nun zähl ich heute zu den Meinen,
Zu denen, welche meine Gunst erfahren.

Denn wer durchdrungen ist vom innig Wahren,
Dem muß die Form sich unbewußt vereinen,
Und was dem Stümper mag gefährlich scheinen,
Das muß den Meister göttlich offenbaren.

Wem Kraft und Fülle tief im Busen keimen,
Das Wort beherrscht er mit gerechtem Stolze;
Bewegt sich leicht, wenn auch in schweren Reimen.

Er schneidet sich des Liedes flüchtge Bolze
Gewandt und sicher, ohne je zu leimen,
Und was er fertigt, ist aus ganzem Holze.

Wir haben dieses Beispiel nicht gewählt, weil es uns als Sonett
vollendet erschiene. Es ist wie so oft bei Platen: nicht nur
sprachliche Härten stören, sondern bei aller äußeren Korrektheit, die auch den strengsten Anforderungen Genüge tut, fehlt
ein Letztes an struktureller Feinheit, an innerer Dichte und Bewegung. In unserem Fall kann man wohl sogar den Mangel
klar bezeichnen: daß der Aufstieg nicht hoch genug ist, daß
Anfang und Ende zu dicht beieinander liegen, und man kann
wohl den Finger auf die Stelle legen, wo statt weiter zu gehen
auf der Stelle getreten wird: beim Übergang von den Quartetten zu den Terzetten, der hier eben kein Übergang geworden ist.

Und nun ein jüngeres Beispiel, aus Rilkes *Sonetten an Orpheus:*

O Brunnen-Mund, du gebender, du Mund,
der unerschöpflich Eines, Reines, spricht, –
du, vor des Wassers fließendem Gesicht,
marmorne Maske. Und im Hintergrund

der Aquädukte Herkunft. Weither an
Gräbern vorbei, vom Hang des Apennins
tragen sie dir dein Sagen zu, das dann
am schwarzen Altern deines Kinns

vorüberfällt in das Gefäß davor.
Dies ist das schlafend hingelegte Ohr,
Das Marmor-Ohr, in das du immer sprichst.

Ein Ohr der Erde. Nur mit sich allein
redet sie also. Schiebt ein Krug sich ein,
so scheint es ihr, daß du sie unterbrichst.

Es ist sicher eines von den Sonetten an Orpheus, das den Leser
gefangen nimmt, was sich nicht von allen Gedichten jenes
Zyklus sagen läßt. Aber ebenso offenbar ist, daß dieses Gedicht
wenig mehr mit einem Sonett zu tun hat, was sich wiederum

nicht von allen Sonetten an Orpheus sagen läßt. Die Sonett-
struktur ist nicht die des Gedichts. Schon die Reime geben
keinen Halt (abba cdcd eef ggf), zumal die Binnenreime Eines/
Reines, Tragen/Sagen kräftiger ins Ohr fallen als Endreime
wie an/dann, Apennins/Kinns. Und die Fugen liegen nur einmal am Strophenende. Vom Sonett ist außer den 14 Zeilen
nur die Druckanordnung geblieben, und die ist nur für das
Auge da, entspricht aber in nichts der wahren Ordnung. Wir
bedauern, daß Rilke, der echte Sonette geschrieben hat, dieses
und ähnliche Gedichte unter seine Sonette gereiht hat; denn
dadurch werden leicht unerfahrene Nachfolger zu einer Selbst-
herrlichkeit und Geringschätzung gegenüber der Sonettform
(wie der Formen überhaupt) verführt, die uns für die jungen
Dichter, das immer leicht verführbare Publikum wie für die
Dichtung selbst gefährlich scheinen. Es ist hier nicht der Platz,
über Wesen und Wirkung der Formen zu sprechen; manches
Wort der besten Kenner, der Dichter wäre da anzuführen. Wir
fühlen uns aber zu einem Wort des Mahnens verpflichtet, wo
wir auf bewußte oder unbewußte Zerstörung von Formen
treffen, die sich durch ihr Wesen, ihre Geschichte und ihre
anhaltende Lebenskraft als bedeutend ausweisen.

Die Gewichtigkeit der Schlußzeile, typisch für das Sonett
an sich, erfährt noch eine Beschwerung in dem «Meisterstück»
des Poeten: dem strengen Sonettenkranz. Er besteht aus 14
Sonetten, die äußerlich so verflochten sind, daß die Schlußzeile
des einen jeweils die Anfangszeile des nächsten wird. Damit
wiederholt sich also bei freierer Anordnung viermal, bei
strengerer siebenmal der gleiche Reim. Doch nun folgt noch
als 15. ein Sonett, das sich aus den 14 Schlußzeilen zusammen-
setzt, in der genauen Reihenfolge ihres Vorkommens! Solche
Sonettenkränze gehören nicht nur in die Zeiten der poetae
laureati; nach ihrem Lorbeer haben auch manche Romantiker
und manche neueren Dichter gestrebt.

Als letzte Gedichtform nennen wir die KANTATE. Freilich
mit zwei Einschränkungen. Einmal ist die Kantate keine reine
Form der Wortkunst, sondern bedarf zu ihrer Erfüllung des

Musikers. Zum andern ist sie keine (wir möchten hinzufügen dürfen: noch keine) Gedichtform, sondern eine lockere Aneinanderreihung verschiedener Teile: Chorgesänge, Rezitative, Arien, Ariosos sind in ihr auch heute noch üblich. Metrisch empfehlen sich für Rezitative und Ariosos madrigalische Verse, für Chorgesänge und Soloarien strophische oder nichtstrophische Verse. Aber das entscheidende Wort kann da nicht ohne den Musiker gesprochen werden, zumal Kantaten meist Gelegenheitsdichtungen sind. Wenn sie in neuerer Zeit von dem Dichter allein und ohne besonderen Anlaß geschrieben werden, so spüren wir darin die gleiche Zeitrichtung am Werke, die in der neueren Lyrik so gern zu Zyklen reihen läßt. Es wäre eine sinnvolle und lohnende Aufgabe, die Kantate ganz den Wortformen zu erobern. Hoffen wir auf den Dichter, der das leistet und ihr festeres Gefüge gibt!

Wir geben zum Schluß die wohl kleinste Kantate wieder, die es in der deutschen Dichtung gibt. Von der Mehrgliedrigkeit hat sich nur noch die Verschiedenheit der Zeilenausgänge und der Reimstellung erhalten. Aber das launige «Familien-Kantätchen» schien uns um seines Dichters und seines Vertoners willen reizvoll genug, um als Beispiel zu dienen. Es lag einem Briefe bei, den Meister Gottfried Keller an Johannes Brahms mit der Bitte richtete, mit der Vertonung «einer liebenswürdigen Gesellschaft eine Freude und mir selbst einen großen Jux zu machen». Der Musiker kam der Bitte des Dichters nach.

> Zwei Geliebte, treu verbunden,
> Gehen durch die Welt spazoren,
> Jedes hat sein Herz verloren,
> Doch das andre hat's gefunden.
>
> Jedes trägt die leichte Last
> Wie die Uhr am Kettchen fast.
> Also geht's auf Steg und Wegen
> Ruhig fort mit gleichen Schlägen.
>
> «Schau die können's!» sagen ferne
> An der Himmelshöh die Sterne.
> «Wer sind sie?» Gleich schrein wir da:
> «Sigismund und Emilia!»

Als Anhang seien noch zwei Formen erwähnt, die heute zu dem Formenschatz des «höheren Unsinns» gehören. Die LEBERREIME (Reim bedeutet hier «Vers») entstammen dem 16. Jahrhundert, erleben im 17. Jahrhundert eine Blütezeit und halten sich dann weithin auf dem Lande als Form der improvisierten geselligen Dichtung. Wir müssen uns wohl vorstellen, daß sie ursprünglich bei Gastereien aus dem Stegreif produziert wurden, und ihren Namen und ihren Anlaß mögen sie der Anschauung verdanken, daß die Leber der eigentliche Bluterzeuger und weiterhin der Sitz der Leidenschaft sei.

Sie konnten zunächst durchaus belehrend und epigrammatisch sein, erst als freischwebende «literarische» Form haben sie dann ganz den komischen Charakter angenommen. Kennzeichnend ist die feste erste Zeile:

> Die Leber ist vom Hecht und nicht von einem ...

Nur das Reimwort (ein Tiername) fehlt noch, und ein Teil der komischen Wirkungen liegt gewöhnlich schon darin, daß der Reim die einzige Verbindung zu der abschließenden zweiten Zeile darstellt, die eine weitere verblüffende Feststellung birgt:

> Die Leber ist vom Hecht und nicht von einem Biber,
> Dem einen ist sein Weib, dem andern andre lieber.

Aus neueren Untersuchungen hat sich ergeben, daß auch die berühmte Strophe, die der Anlaß zu den KLAPPHORNVERSEN wurde, von ihrem Dichter, dem Göttinger Notar Friedrich Daniel, durchaus ernsthaft und zwar als Beginn eines ländlichen Gedichtes gemeint war. Sie geriet jedenfalls in die Redaktionsstube der «Fliegenden Blätter» und erschien mit einer entsprechenden Zeichnung in der Nummer 1720 vom 14. Juli 1878:

> Zwei Knaben gingen durch das Korn,
> Der andere blies das Klappenhorn.
> Er konnt es zwar nicht ordentlich blasen,
> Doch blies er's wenigstens einigermaßen.

Die Fliegenden Blätter selbst brachten weitere Klapphornverse, und in kurzer Zeit war die Form überall bekannt geworden, die äußerlich durch die feststehende erste Zeile mit dem variablen Reimwort, weiterhin durch die Vierzeiligkeit und durch überraschende Reime und Wortverrenkungen gekennzeichnet ist, all das im Dienst eines naiv vorgetragenen höheren Unsinns.

Wir entnehmen die beiden folgenden Proben der ergötzlichen Anthologie von Scherzversen, die von H. Kunze im Heimeran-Verlag (1952) besorgt wurde:

> Zwei Knaben gingen durch das Korn,
> Sie waren beide Feger des Schorn.
> Der eine konnte garnicht fegen,
> Der andre fog brillant dagegen.

> Zwei Knaben gingen durch die Nacht,
> Der eine leis, der andre sacht.
> Man konnte sie weder sehen noch hören –
> Wenn sie's nun garnicht gewesen wären?

Es gibt noch mehr solcher «Gedichtstrophen» in der scherzhaften Literatur, und es gibt sie auch im Ausland. Bekannt sind die englischen Limericks, die durch Edward Lear und sein *Book of Nonsense* (1839) volkstümlich wurden. Es handelt sich äußerlich gesehen dabei um eine fünfzeilige Strophe mit der formelhaften ersten Zeile: There was an Old Man of ... Und damit wird nun deutlich, was solchen «Gedichtstrophen» die Ausbreitung verschafft: die Reihenbildung wird nicht nur durch die feste Form mit dem stereotypen Anfang erleichtert, sondern durch die gleiche Figur – des törichten «Alten Mannes», der beiden «tumben Knaben» u.s.f. Man ist mit ihr schon vertraut und freut sich, von ihr etwas Neues zu hören. Es ist der gleiche Vorgang, der zu den Schwanksammlungen um Till Eulenspiegel oder den Witzsammlungen um Serenissimus und Graf Bobby geführt hat.

FÜNFTES KAPITEL

VON DER SCHICKLICHKEIT
DER WÖRTER

Alles, was bisher vom Verse gesagt wurde, lag außerhalb der Sprache, lag gewissermaßen vor jeder sprachlichen Erfüllung. Am sinnfälligsten war das bei den antiken Odenmaßen, von denen sich – bis auf den Umfang des Gedichtes – ein vollständiges Schema auf das Papier zeichnen ließ, das nun auf seine Erweckung und Erfüllung durch das Wort wartete. Schon unsere Grundbegriffe wie Hebung und Senkung sind ja «eigener Art»; eine Hebung ist uns immer eine Hebung und durch den berühmten Strich (-) als immer dieselbe gemeint. Der Leser wird an den Beispielen, die jeweils gegeben wurden, gespürt haben, daß die sprachlich verwirklichten Hebungen recht verschiedener Art sein können. Gewiß kennt auch die Sprache, die wir im täglichen Leben sprechen, betonte und unbetonte Silben, kennt Einschnitte und Pausen usw., und wir dürfen sagen, daß die Gliederungselemente des einen Bereichs denen des anderen durchaus vertraut sind. Der Vers ist auch darin eine Läuterung, Vereinheitlichung, Steigerung der «niederen Realität»; seine höhere Ordnung wurzelt fest in jener. Aber Alltagsreden sind eben noch keine Verse, und so soll uns hier die Frage beschäftigen, welche Eignung die Wörter der deutschen Sprache mitbringen, um in jene höhere Ordnung einzugehen, wie sie sich in den Vers schicken.

Sprechen wir das Wort «eine», so betonen wir die erste Silbe, während die zweite unbetont bleibt. Das Wort schickt sich also an einer Versstelle, die zuerst eine Hebung, dann eine Senkung verlangt. Als allgemeine Regel können wir ableiten: Der metrische Akzent hat auf eine sprachliche Betonung zu fallen. Wir hätten damit das Grundgesetz des deutschen Verses erfaßt, das Martin Opitz in seinem *Buch von der deutschen Poeterey* (1624) zwar nicht gefunden, aber verkündet hat. Doch dieses

Grundgesetz bedarf wie jedes Grundgesetz der Erläuterungen, um in der Praxis wirken zu können.

Wenn ein Dichter in jambischen Zeilen schreibt, dabei aber füllt:

> Hat wéder Rédlichkéit noch Tréu
> Noch Gláuben nóch Freihéit verlóren ...

so hören wir in der zweiten Zeile einen Fehler. Das Grundgesetz scheint die Ursache anzugeben: (Frei)heit ist eine unbetonte Silbe und kann also keinen metrischen Akzent tragen. Nun finden wir aber bei Platen eine Ode, der er als Schema für die dritte Zeile voransetzt:

$$\breve{} - \cup - \breve{} - \cup - -,$$

sie indes ausfüllt:

> Freiheit genießest, Ruhm genießest.

Bei Platen kann man nicht wie bei Weckherlin, dem Dichter jener Zeilen, zur Erklärung anführen, daß er mit dem «Grundgesetz» noch nicht vertraut war; Platen war vielmehr, wie auch das vorgesetzte Schema zeigt, einer der bewußtesten Verskünstler. Er *wollte* also Freihéit gelesen haben und tatsächlich: es geht, der Vers klingt auf jeden Fall unanstößiger als der Weckherlins. Es kann also nicht einfach daran liegen, daß eine Silbe den Akzent tragen muß, die ihn nicht tragen könnte. Die Lösung sieht vielmehr so aus: ein Fehler – wir sprechen in einem solchen Falle von Tonbeugung – entsteht, wenn eine unbetonte Silbe auf Kosten einer betonten den metrischen Akzent bekommt.

Wer diese Regel beachtet, braucht sich nicht lange zu quälen, ob eine Silbe von Haus aus betont ist. Denn damit hat es seine Schwierigkeiten. Wir sagten, daß in «eine» die erste Silbe betont ist. Aber wo betonen wir sie in der Alltagsrede je einmal? Doch nur in außergewöhnlichen Fällen. Und ist «und» betont oder unbetont? Die Grammatik spricht von proklitischen und enklitischen (vor- und rückgeneigten) Wörtern, die also ständig im Schatten eines danebenstehenden Akzentes leben. Sie rechnet dazu z. B. Artikel, Präpositionen u. a. Die wären also von Haus aus unbetont und nie akzentfähig? Wir fahren gleich schwerstes Geschütz auf, indem wir eine Strophe von Goethe wiedergeben:

> Jene Hand, die gern und milde
> Sich bewegte, wohlzutun,
> Das gegliederte Gebilde,
> Alles ist ein andres nun.
> Und was sich an jener Stelle
> Nun mit deinem Namen nennt,
> Kam herbei wie eine Welle,
> Und so eilt's zum Element.

Zweimal muß «sich» den Akzent tragen, zweimal «und», einmal der Artikel «das» – ohne daß auch nur in einem Falle eine Tonbeugung entstände. Wir sagen nicht, daß diese Akzente alle sehr deutlich wären, und keinem Leser wird und dürfte es einfallen, das «sich» in der zweiten Zeile ebenso stark zu betonen wie die folgenden Hebungen (wir werden darüber noch beim Rhythmus zu sprechen haben); aber es trägt hier den metrischen Akzent und darf ihn tragen. Umgekehrt kann es sehr wohl sein, daß ein in der Prosa unbedingt zu betonendes Wort im Vers eine Senkung bildet, ohne daß deswegen der Ton gebeugt würde:

> Nicht stillt Áphrodíte dem schönen Knaben die Wunde ...
> In den Dünen, im Dórf rasen Mésser und Mórd ...

> Der Mond, der Sternenhirte
> Auf klarem Himmelsfeld,
> Treibt schón die Wólkenscháfe ...

Es läßt sich also kaum voraussagen, wie Worte bzw. Silben im Vers zu erscheinen haben. Wir hatten im Anfang einen Prosasatz versifiziert, indem wir ihn in die Abwechslung von unbetonter und betonter Silbe zwangen. Wir könnten ihn zur Not auch «daktylisch» versifizieren:

> In höchster Wut schríe er: verflúcht!
> Únd ewig sóll der verdámmt sein ...

Immerhin lassen sich einige Regeln geben, die sich allerdings nur auf zu Vermeidendes beziehen.

Stehen in der Prosa gleichartige Wörter mit gleich starker Betonung nebeneinander, so stört uns eine verschiedene Behandlung im Vers. Das ist bei Aufzählungen deutlich zu spüren:

> Blieb, sank, néigte sein Háupt ...

Es widerstrebt uns mit vollem Recht, da die Versordnung zu verwirklichen. Und der Gehalt des Veni, vidi, vici ginge verloren, wollten wir uns daraus den Vers machen:

> Ich kám, sah, síegte ...

Es muß scheinen, als gälte die Forderung nach gleicher Behandlung für die in der Prosa unbetonten Silben bzw. Wörter nicht. Wir hörten ja, daß aus einer Reihe von unbetonten Silben eine sehr wohl den Versakzent tragen konnte. Aber das bedarf jetzt doch einer kleinen Einschränkung. Nehmen wir die Prosareihe: «Weil er sich aber nun in dem Gewitter ...», so dürften wir sie nach der oben mitgeteilten Regel unbedenklich als Vers sprechen:

> Weil ér sich áber nún in dém Gewítter ...

Vielleicht sogar «daktylisch»:

> Wéil er sich áber nun ín dem Gewítter ...,

und doch wird sich jeder Leser in beiden Fällen empfindlich gestört fühlen. Es schmeckt, so oder so gelesen, nach Prosa. Oder die Zeile:

> O wie war glücklich ich, als ich noch mit euch ...

Auch da wird der Leser kaum zu einer befriedigenden Lesung kommen, und gewiß nicht, wenn er sie mit Klopstocks vorgeschriebener Betonung liest:

> O wie wár glücklich ích, áls ich nóch mit éuch ...

Es geht also doch nicht so reibungslos mit der Akzentuierung von unbetonten Silben. Ehe wir Schlüsse ziehen, fügen wir gleich die Fälle an, da eine der in der Prosa stets unbetonten Endsilben (-te, -ten, -de, -des usf.) einen Versakzent tragen soll. Wir geben zunächst einige Beispiele, die der Leser selber abhören mag:

1. Friedhof der entschlafnen Tage,
   Schweigende Vergangenheit ...

2. Die strenge Grenze doch umgeht gefällig
   Ein Wandelndes, das mit und um uns wandelt

3. Unglücklicher, was willst du tun? so ruft
   In seinem Innern eine treue Stimme.
   Versuchen den Allheiligen willst du?
   Kein Sterblicher, sprach des Orakels Mund ...

4. Nichts Heiliges ist mehr, es lösen ...

5. Entzündeten wir ausgelöschte Kerzen.

6. Ihr Úfer, wó die ábgöttísche

7. In sichrer Einfalt wohne, wenn draußen mír
   Mit ihren Wellen allen die mächtge Zeit
   Die wandelbare, férn rauscht, únd die
   Stillere Sonne mein Wirken fordert.

Die Fälle liegen nicht gleich. Nach unserem Gefühl bilden sie eine absteigende Treppe, erst die letzten Beispiele stören uns. Der Eindruck des Mißklangs tritt wohl auf, wenn sich keine kräftige Pause hinter der betonten Endung dehnt oder die umstehenden Hebungen selber nicht sehr stark sind. Das sind die Gründe, die erklären, warum schon die Beispiele 4 und 5 im Gegensatz zu den vorhergehenden anstößig klingen. Zutiefst entscheidet aber der Rhythmus. Lenau hat im Beispiel 1 den Leser schon in der ersten Zeile gezwungen, die zweite Hebung nur schwach zu verwirklichen: so bedeutet also die Betonung «schwéigendé» in der Folgezeile keine Härte mehr. Dagegen scheint uns der Rhythmus nur einen Teil der vielen Schwachtöne zu rechtfertigen, die Hölderlin in den Beispielen 6 und 7 verwendet. Daß die Mißhelligkeit nicht an den schwachen Silben selber liegt, sondern nur an ihrer «richtigen» oder «falschen» Einfügung, kann der Leser erproben, wenn er z. B.

das anstößige zündetén in dem 5. Beispiel vor eine starke Pause
und zwischen zwei starke Hebungen stellt:

> Und als die Blitze zündeten – ein Schrei der Angst ...

Es gibt indessen in der Prosa nicht nur Betonungen und
Unbetonungen, sondern deutlich Halb- oder Nebenbetonungen.
Das wird sinnfällig in den Wörtern des Typus: zurückkéhren,
anmutig, grausamer, Haustor, Heerscharen, Nachkommen.
Lassen sie sich ohne Störung in den Jambus oder Trochäus
bringen, die klaren Wechsel verlangen?

Der Ausweg, den Friederike Kempner, der «schlesische
Schwan», aus der Schwierigkeit fand, reizt nicht gerade zur
Nachfolge:

> Und wenn ich dereinst mal sterbe,
> Mahnet euch der Musen Chor:
> Nicht enthaltet dieses Erbe
> Euren Nachekommen vor!

Die unwiderstehliche Komik liegt in der Naivität, mit der eine
sprachwidrige Form neu gebildet wird. Wenn Goethe im 2.
Teil des Faust (Z. 7516) die Sirenen singen läßt:

> Dort ein freibewegtes Leben
> Hier ein ängstlich Erdebeben,

so verwendet er eine sprachlich sinnvolle und ihm geläufige
Form (Goethe gebraucht die Komposita mit Erde – häufig in
dieser Art: Erdesprachen, Erdestoß u. a.). Wo es zum Stil
paßt, mag ein Dichter getrost zu den volleren Formen *zurücke-
kehren, Heeresscharen* greifen, wie es Tieck am Ende des Prologs
zur *Heiligen Genoveva* tut:

> ... und laßt euch gern
> In alte deutsche Zeit zurückeführen.

Aber unzählige deutsche Wörter lassen solche Erweiterung
nicht zu; können sie also in jambische oder trochäische Maße
nicht eingehen? Die beiden Lesungen der folgenden Zeile
scheinen die Frage eindeutig zu verneinen:

> Selbst Héerscharén von Náchteulén sie müssen rückkehrén ...

> Heerscháren vón Nachtéulen müssen áuch rückkéhren ...

Aber es ist hier die Häufung von unnatürlichen Betonungen, die so lächerlich wirkt. Wir beeilen uns, drei andere Proben zu geben:

> Und wie ich sprach, sah mich das hohe Wesen
> Mit einem Blick mitleidger Nachsicht an ...

> Und von unmutiger Bewegung
> Ruht er unmutig wieder aus.

> Drei Jahre sind's ... Auf einer Hugenottenjagd ...
> Ein fein, halsstarrig Weib ...

Der Leser wird spüren, daß die leichten Tonbeugungen hier nicht nur nicht stören, sondern besonders ausdruckshaltig sind. Das Mitleid, der Unmut, die Halsstarrigkeit werden jetzt gerade eindringlich. Und so schicken sich die Wörter jenes Typus, von der Hand des Meisters gefügt, sehr wohl in den sperrigen Jambus und Trochäus. Es geschieht immer so, daß die Nebenhebung den verslichen Hauptton hat. Es gibt nun aber, das sei dem Anfänger zum Trost gesagt, eine Stelle im jambischen Vers, wo er grundsätzlich «frei» hat vor dem Merker, wo er getrost mit der Betonung umspringen darf: der Versanfang. Goethes *Ilmenau*, dem wir eben eine Probe entnahmen, kennt viele Anfänge wie:

> Anmutig Tal! Du immergrüner Hain ...
> Unbändig schwelgt ein Geist in ihrer Mitten ...
> Nachlässig stark die breiten Schultern drückt ...

Hier braucht sich der Leser nicht in eine sogenannte «schwebende Betonung» zu retten, mit der man sonst wohl Tonbeugungen ausgleichen kann, sondern darf getrost lesen: ánmutig Tal. Wieder wird die Unregelmäßigkeit sehr oft gewollter Ausdrucksträger sein:

> Aufsteigt der Strahl und fallend gießt ...

Ein ähnlicher Fall liegt bei der «emphatischen» Betonung vor. Man versteht darunter die Gefühlsbetonung eines sonst unbetonten Wortes. Und dabei kann es leicht geschehen, daß nun zwei starke Betonungen nebeneinander geraten: «*Der* Kerl!» Wieder scheinen sich einige Maße, wie Jambus und Trochäus, dem zu versperren. Aber hier kann nun ein sprachliches Phänomen ausgleichend wirken, das in einer Versschule nicht behandelt zu werden braucht, da es der Sprache überhaupt angehört: durch melodische Betonung kommen solche Silben stark genug zur Geltung, und uns klingt diese Lösung besser als die andere, die eine solche Silbe in die Hebung bringt. Die Zeile Conrad Ferdinand Meyers würde verblassen, wenn wir sie änderten:

> Ich werde wild. *Der* Stolz! Ich zerre das Geschöpf ...
> (Ich rase. *Der* Stolz! Wütend zerr ich das Geschöpf ...)

Wir nehmen die Gelegenheit wahr, um noch gleich einige rein klangliche Beobachtungen anzufügen.

Nimmt ein Dichter zu auffällige Veränderungen mit den Wörtern vor, um sie in das Metrum zu bekommen, so wirkt das oft unbeholfen. Historische Gründe mögen vielfach solche Erscheinungen in älteren Dichtungen erklären, denn der Formenbestand der deutschen Sprache hat sich gewandelt wie der Anspruch an die Korrektheit selber, aber trotzdem reagiert unser zunächst unbefangenes Empfinden, wenn wir in Hallers schönem Gedicht über die Ewigkeit lesen:

> Unendlichs Grab von Welten und von Zeit,
> Beständigs Reich der Gegenwärtigkeiten.

Die Verkürzungen stören uns in dem feierlichen Stil des Gedichts; gerade bei dieser Erscheinung hängt sehr viel von der Stilschicht ab, in der wir uns befinden. Bei einem Volkslied und in volkstümlichen Liedern wirken Auslassungen der unbetonten Endungs-e traulich oder wecken einen Hauch der Vergangenheit. Die Stürmer und Dränger mochten den Spott der Zeitgenossen herausfordern – wir sind ihnen für neue Tönungen dankbar, die sie in die dichterische Sprache gebracht haben:

> Und als er kam zu sterben,
> Zählt er sein Städt und Reich ...
>
> Sah ein Knab ein Röslein stehn ...

In einigen dieser Fälle mag die Auslassung erleichtert worden sein, da zugleich ein *Hiat* vermieden wurde. Man versteht darunter den Zusammenstoß eines auslautenden Vokals mit dem Anlautsvokal des folgenden Wortes. Manche Lyriker wie Storm haben ihn bewußt vermieden, andere haben sich nicht daran gestört, und bei einigen, wie der Droste, tritt er so häufig auf und gehört so zu dem «spröden» Klang, daß er stilkennzeichnend ist. Eine Regel läßt sich also nicht leicht geben, zumal die Aussprache und damit die Wirkung des Hiats ganz verschieden sein kann. Das Deutsche gehört ja zu den Sprachen, die die Wortanfänge mit besonderer Energie sprechen (in romanischen Sprachen etwa kann der verzweifelte Ausländer anfangs nie dahinter kommen, wo denn nun ein neues Wort beginnt). Immerhin gibt es Fälle, wo auch wir völliges Legato sprechen oder sprechen können. Die meisten Leser werden in der Umgangssprache «die Abende» genau so binden, wie sie im Wortinnern «Diana» binden, und ähnlich pflegen wir, «sah ich», «da ich» u. a. gleitend zu sprechen. In solchen Fällen also kann der Hiat in der Dichtung keine Härte bedeuten. Anders ist es in den folgenden Zeilen:

> So weit im Leben ist zu nah am Tod ...
>
> O wer könnte einmal ruhen ...
>
> O Unruhe immer ...
>
> Zu nah ist mir der Wolken Sitz, –
> Ich warte auf den ersten Blitz.

Härten sind es, ob sich der Leser dessen beim Sprechen bewußt wird oder nicht; die Entscheidung hängt nur davon ab, ob es sich um ungemäße, funktionslose Härten handelt (wir würden sagen: ungewollte, wenn nicht ihre Vermeidung beim klangempfindlichen Dichter meist unbewußt erfolgte), oder ob sie, wie eben im Fall der Droste, geradezu vielsagend für den Ausdruckswillen überhaupt sind. Das Unbefriedigende im Klang vieler Hebbelscher Gedichte und aller von Nietzsche rührt zu einem guten Teil von den störenden Hiaten her. Zu den klanglich vollendetsten Versen – wir meinen nicht nur die Vermei-

dung des Hiats – gehören im Deutschen vor allem die von
Brentano, Mörike, Storm. Keller erkannte dessen leise Vorwürfe wegen des fehlenden Wohlklangs in seiner eigenen
Lyrik an und entschuldigte sich einmal: «Das Ohr kann bei
mir nichts tun, da ich von Anfang an weder für mich allein laut
las, was ich geschrieben, noch jemals eine Umgebung hatte,
der ich etwas vorlesen konnte oder mochte.»

Von der jeweiligen Stelle und ihrem Ausdrucksgehalt wird
es abhängen, ob Ballungen von Konsonanten oder andere,
besondere Energie verlangende Aussprachen gut oder schlecht
wirken.

> Vielleicht die tausendste der Sonnen wälzt jetzt sich –

Dieser Vers klingt uns unberechtigt hart. Die Tonlosigkeit der
Kellerschen Zeile:

> Nur dem sinkenden Gestirn gesellt ...

beruht wohl weniger auf den vier, dicht nebeneinander stehen-
den dumpfen e als auf der dreimal wiederholten Verbindung
ke bzw. ge. Damit wird gegen jenes Grundgesetz der Ästhetik
verstoßen, das besagt, alles unfreiwillig (d. h. funktionslos) die
Aufmerksamkeit Erregende wirke unschön. Es kann im Deutschen leicht einmal vorkommen, daß plötzlich in einer Zeile
lauter s oder en als Endungen auftauchen:

> So wurde bald, mit aufgesperrtem Schlund,
> Ein allgemeines Nichts des Wesens ganzes Reich.

> So wird, wenn andre Tage kamen,
> Die sonnig auf dies Heute sehn,
> Um meinen fernen blassen Namen
> Des Friedens heller Bogen stehn.

Das reinste Tati Tata aber tönt aus der Hebbelschen Zeile:

> Dann dienst du dir und dienst dem höchsten Plane.

Eine andere klangliche Unschönheit wollen wir zunächst in
Beispielen hörbar werden lassen: es kommt beide Male auf die
zweite Zeile an:

Es zieht kein Wanderer daher,
Und für ihn selbst ist sie nicht da.

Der Mensch hat nichts so eigen,
So wohl steht ihm nichts an ...

Täuscht sich das Gehör, wenn es die beiden in Frage kommenden Zeilen als matt und fahl empfindet? Der Grund scheint
uns in der Einsilbigkeit aller Wörter zu liegen. Wir erwähnten
bereits, daß im Deutschen die Wortanfänge mit besonderer
Energie gesprochen werden, und so kommt wohl dadurch
etwas Abgesetztes, Stakkatohaftes in die Zeilen, das wieder
überall störend wirkt, wo es keinen Ausdruck trägt. Der
dauernde Neueinsatz wirkt ermüdend wie auch seine verhält-
nismäßige Gleichheit. Die Dinge ändern sich schon, wenn es
bedeutende Wörter in der Zeile gibt, die größere, aber sich nun
lohnende Energie im Einsatz verlangen:

Und fühl doch Geist und Leib und sag doch «Ich».

Eine letzte Beobachtung führt uns wieder zu der Frage der
«Schicklichkeit» der deutschen Wörter zurück. Unsere Sprache
verlangt, daß wir die Stammsilben betonen. Wo kein Präfix
vorangeht (er-, be-, ge- usf.), betonen wir also die erste Silbe;
die meisten zweisilbigen Wörter haben mithin im Deutschen
den Tonfall: Wásser, síngen, éiner. Man könnte meinen, daß
sie sich deshalb besonders gut in den Trochäus schickten. Aber
der Leser höre die beiden folgenden Proben:

Fontane: Immer enger, leise, leise,
            Ziehen sich die Lebenskreise,
            Schwindet hin, was prahlt und prunkt,
            Schwindet Hoffen, Hassen, Lieben,
            Und ist nichts in Sicht geblieben
            Als der letzte, dunkle Punkt.

An diesen Versen ist «etwas dran», etwas echt Lyrisches; aber
man spürt zugleich, daß es nicht voll zur Entfaltung kommt,
daß eine Gegenkraft hemmt. Sie kommt von dem zur Monotonie gehäuften Tonfall - ◡.

78

Schiller: Und die wilden Winde schweigen,
                 Hell an Himmelsrande steigen
                 Eos' Pferde in die Höh.
                 Friedlich in dem alten Bette,
                 Fließt das Meer in Spiegelglätte,
                 Heiter lächeln Luft und See.
                 Sanfter brechen sich die Wellen
                 An des Ufers Felsenwand,
                 Und sie schwemmen, ruhig spielend,
                 Einen Leichnam an den Strand.

                 Schnellen Blicks erkennt sie ihn,
                 Keine Klage läßt sie schallen,
                 Keine Träne sieht man fallen ...

Es wird deutlich geworden sein: die Aneinanderreihung von
Wörtern des Typus «wilden», «Winde», «schweigen» ergibt
gerade keine guten Trochäen. (Als Heine das Manuskript von
Immermanns *Tulifäntchen* in die Hände kam, sandte er dem
Dichter 4 Bogen mit Besserungsvorschlägen für die Verse:
«Die metrischen Mängel bestehen nämlich darin, daß die Worte
und die Versfüße immer zusammenklappen, welches bei vier-
füßigen Trochäen immer unerträglich ist», so schrieb er ihm
am 3. II. 1830). Im übrigen ergibt die Reihung von «trochäischen» Wörtern auch keine guten Jamben; daß die bereits
zitierten Kellerschen Zeilen

                 Um meinen fernen blassen Namen
                 Des Friedens heller Bogen stehn

klanglich nicht befriedigen, liegt zu einem guten Teil an der
Betonungsgleichheit der Wörter. Dasselbe gilt natürlich auch
für eine Häufung von Wörtern des Typus: vielleicht, herein,
Gesang, zu denen auch die Verbindung eines vorgeneigten
Wortes mit seinem Hauptwort gehören:

                 Erlaubt, daß ich hinein ins Haus zum Wirt ...

So scheint die Mahnung:

                 Lauter Wörter gleichen Tonfalls
                 Wirken tonlos, klingen fade,

wohl an sich berechtigt. Doch wieder ist damit kein Maßstab gefunden, der es erlaubte, einen Fehler schlechthin festzustellen. Kann es doch sein, daß in dem Zusammenhang des Gedichtes gerade die besprochene Wirkung an dem Aufbau der dichterischen Welt mithilft. Wir nennen als Beispiel nur die Georgesche Strophe:

> Der hügel wo wir wandeln liegt im schatten
> Indes der drüben noch im lichte webt
> Der mond auf seinen zarten grünen matten
> Nur erst als kleine weiße wolke schwebt.

Der Leser verspürt, wie hier gerade die so merkliche Reihung von Wörtern gleichen Tonfalls bedeutsam und durch die Wiederholung an entsprechender Stelle in ihrer Bedeutsamkeit gesteigert wird. Damit werden wir aber wieder über die Grenzen dieses Kapitels hinausgewiesen; denn was zutiefst durch solche Häufungen verursacht wird, das muß uns beschäftigen, wenn wir vom Rhythmus sprechen.

SECHSTES KAPITEL

VOM REIME

> Doch wünscht ich Unterricht, warum die Rede
> Des Manns mir seltsam klang, seltsam und freundlich.
> Ein Ton scheint sich dem andern zu bequemen,
> Und hat ein Wort zum Ohre sich gesellt,
> Ein andres kommt, dem ersten liebzukosen.

So drückt Helena ihre Empfindungen aus, als sie zum ersten
Male, aus Lynkeus' Munde, Reime gehört hat. Aber ehe ihr
Faust den gewünschten Unterricht gibt und ehe sie an sich
selber erleben, wie der Gleichklang der Herzen den Gleich-
klang der Worte finden läßt, vertieft er Helenas Deutung des
Reims:

> Gefällt dir schon die Sprechart unsrer Völker,
> O so gewiß entzückt auch der Gesang,
> Befriedigt Ohr und Sinn im tiefsten Grunde.

Der Reim bildet nicht nur, dem Ohre wohlgefällig, den Klang,
er bindet auch, den Geist befriedigend, den Sinn. Als «Echo
des Gedankens» hat man ihn auch umschrieben. Die geheim-
nisvolle Macht des Reimes scheint uns so dichterisch, daß wir
manchmal meinen, sie gehöre nicht nur zum Verse, sondern
sie mache den Vers, und wem zufällig ein Reim über die Lippen
kommt, wird scherzhaft als Dichter angesprochen. Aber die
Historiker haben es leicht, uns darüber zu belehren, daß der
Reim zunächst eine Schmuckfigur der Prosa war, daß ja die
ganze Versdichtung der Antike, bei Griechen wie bei Römern,
den Reim gar nicht kannte. Auch unsere Vorfahren haben ihn
nicht für den Vers gebraucht: die germanische Dichtung bindet
durch den Stabreim (d. h. den gleichen Anlaut der Wörter,
auch als Alliteration bezeichnet), aber nicht durch den Endreim. Es war eine folgenschwere Neuerung, als er im 9. Jahrhundert, von der mittellateinischen Hymnendichtung kom-
mend, in unsere Dichtung eindrang. Eine folgenreiche Neue-

rung, denn mit ihm wandelte sich viel in der Versordnung selber. Der Reim bindet ja nicht nur, er sondert auch; indem er nach sich eine Pause verlangt, macht er das Ende der Zeile ohrenfällig, stärkt er die Einheit der Zeile und schafft, durch die Erwartung eines Reimwortes in einer kommenden, höhere Einheiten. Die ganze vielfältige Entwicklung der Strophe wäre ohne den Reim nicht denkbar gewesen. Endlich aber bedeutete seine Aufnahme eine folgenschwere Neuerung, da man nun auch den Zeilenbau der Dichtungen nachahmte, in denen er beheimatet war. Die sehr frei gefüllte germanische Langzeile wurde durch Verse mit strengem Auf und Ab, durch jambisch oder trochäisch gebildete Zeilen allmählich verdrängt. Eine Dichtung in diesem Maß hieß ein *carmen rhythmicum*, im Französischen *rime*, und in dieser Bedeutung übernahmen wir das Wort *rim* im 12. Jahrhundert. Reim meinte zunächst den ganzen gereimten Vers, und so blieb es bis zu Opitz, der also auch für einen neuen Sprachgebrauch zum Gesetzgeber wurde, den wir noch heute anerkennen. Freilich ist uns der alte Sinn von Reim gleich Vers in den Ausdrücken «Kinderreim», «Kehrreim», «Leberreim» durchaus geläufig.

Der Reim (und mit ihm die neue Versordnung) eroberte sich zunächst die volle Herrschaft. Als aber im 18. Jahrhundert die antiken Versmaße getreu und daher auch reimlos übertragen wurden, erhob sich ein lebhafter Streit um den Wert des Reims und seine Eignung für unsere Sprache. Von Bodmer und Klopstock geführt, wandte sich die damalige Jugend gegen die Übung der Väter und Vorväter. Ein Argument war dabei die Überzeugung, der auf seinem Gebiet der bildenden Kunst Winckelmann Ausdruck gab: «Der einzige Weg für uns, groß, ja, wenn es möglich ist, unnachahmlich zu werden, ist die Nachahmung der Alten.» Ein anderes Argument war ästhetischer Art; man empfand den Reim als Wortgeklingel, als «schmetternden Trommelschlag», wie Klopstock äußerte. Ein weiteres Argument war der vom 18. Jahrhundert so oft beschworene Geist unserer Sprache, der nach jenen Jungen den Reim abweise. Stand man doch damals zum ersten Male und staunend vor den Denkmälern der germanischen Dichtung, in denen man die echtesten Offenbarungen des deutschen Geistes zu sehen meinte. Es wirkte endlich auch eine Reaktion gegen die Schwulstzeit mit, in der das Reimen oft zum bloßen Spiel mit Gleichklängen ausgeartet war. Die Zukunft hat der Jugend von damals nicht Recht gegeben. Zwar setzte es sich fortan durch, Gedichte in antiken Metren nicht zu reimen, und auch die neue, reimlose Form der «Freien Rhythmen» wahrte sich Leben und Charakter. Aber in der folgenden Romantik kam der Reim zu einer Entfaltung wie nie zuvor, und mustert man die Gedichtsammlungen der Gegenwart, so treten die reimlosen Formen, die zur Zeit der Jahrhundertwende etwas an Boden gewonnen hatten, doch wieder sehr bescheiden zurück. Für das große Publikum muß noch immer ein richtiges Gedicht gereimt sein.

Unter Reim (genauer: Endreim) versteht man den Gleichklang des letzten, voll betonten Vokals mit allem, was darauf folgt, z. B. Gesang/Klang; Lieder/wieder; wendige/lebendige. Reimen die beiden letzten Hebungen, so entsteht der «reiche Reim», den wir z. B. als Schmuck des Ghasels kennen gelernt haben.

REINHEIT DES REIMES

Ein etwas heikles Kapitel ist das der Reinheit des Reims. Unsere Sprache besitzt ja nicht die Leichtigkeit der romanischen in der Reimbildung. Einige Theoretiker, die den unreinen Reim gelten lassen, tragen dieser Eigenheit unserer Sprache Rechnung und behaupten sogar, durch kleine lautliche Schwankungen nicht gestört zu werden. Ihnen stehen die «Strengen» gegenüber wie etwa Jakob Grimm, der über Platen urteilte: «Seine Reime sind fast ohne Tadel und stechen vorteilhaft ab von der Freiheit und Nachlässigkeit, die sich Schiller, zum Teil auch Goethe zuschulden kommen lassen. Denn selbst diese Autoritäten dürfen ein feines Ohr nicht bestechen, es bezeichnet vielmehr die laxe metrische Ausbildung ihrer Zeit, daß sie so oft fehlerhaft gereimt und skandiert haben.» Eine dritte Meinung ließe

sich aus den Stimmen einiger Dichter zusammenstellen. So
äußerte z. B. Mörike, daß die leichte «Abbeugung von dem,
was regelmäßig zu erwarten» sei, für das Ohr geradezu reizvoll
ist; fügte aber hinzu, daß der Dichter sehr sparsam damit um-
gehen müsse und nicht etwa alle sich andrängenden unreinen
Reime verwenden dürfe. Ähnlich urteilt Rudolf Alexander
Schröder, der gesteht, er befleiße sich «im allgemeinen reiner
Reime», halte aber den «besonnenen Gebrauch von Freiheiten»
hier wie überall in der Dichtung für erlaubt, ja geradezu für
geboten.

Wir führen die häufigsten Fälle mit je einem Beispiel vor,
ehe wir zu der Frage Stellung nehmen.

Unreinheit der kurzen Vokale:

i: ü   Es funkeln auf mich alle Sterne
             Mit glühendem Liebesblick,
             Es redet trunken die Ferne
             Wie von künftigem, großem Glück!

e: ö   Sitzen da in dunklen Löchern,
             Trinken aus den trüben Bechern.

ä: ö   Doch nun holt der kleine Rächer
             Spitze Pfeile aus dem Köcher.

Lange Vokale und Diphthonge:

i : ü   Und langsam knarrt des Stalles Tür, –
             Die Uhr schlägt vier.

e : ö   Ein heiliger Bezirk ist ihm die Szene,
             Verbannt aus ihrem festlichen Gebiet
             Sind der Natur nachlässig rohe Töne.

ä : ö   Beseligend war ihre Nähe,
             Und alle Herzen wurden weit,
             Doch eine Würde, eine Höhe ...

e : ä   Und wie nach hoffnungslosem Sehnen
             Nach langer Trennung bittrem Schmerz
             Ein Kind mit heißen Reuetränen ...

ei : eu   Und in der Grazie züchtigem Schleier
             Nähren sie wachsam das ewige Feuer.

Geschmückt mit grünen Reisern,
zog heim zu seinen Häusern. (Bürger)

Langer Vokal reimt mit kurzem:

a : a   Trübe Wolken, Herbstesluft,
         Einsam wandl ich meine Straßen,
ū : u   Welkes Laub, kein Vogel ruft –
         Ach, wie stille! wie verlassen! (Lenau)

ī : i   Schweben weit, in Eins verspielt.
         Städte, die wir nachts durchzogen,
         Sind ein einfach-lichtes Bild

o : o   Sie trat hinzu und brach davon
         Und fand auf diesen Tag den Ton.

Überhört man die kurzen Proben, so ist eins gewiß: daß sie
nicht gleichwertig sind. Wir schalten dabei dialektische Unterschiede aus; einem Berliner z. B. werden die i zu ü kaum auf-
fallen, da er das i gewöhnlich schon getrübt spricht. Kenntnis
und Gebrauch des Dialektes mögen im einzelnen den Dichter
und Leser nachsichtig stimmen; aber schließlich wollen und
sollen wir Goethe nicht auf Frankfurterisch rezitiert hören.

Uns scheint folgendes zu gelten:

1. Die Unreinheit stört in Reimpaaren mehr, als wenn die
   Reime weit auseinander stehen.
2. Bei den langen Vokalen und Diphthongen sind wir entschieden feinfühliger als bei den kurzen.
3. Auch bei den Reimen zwischen langen und kurzen Vokalen
   fällt die Unreinheit stark ins Ohr.
4. Die Stilschicht setzt einen großen Unterschied. Obwohl
   Lenau zwei unreine Reime in seinen Vierzeiler bringt, empfinden wir keine Härte. Mit dem «wandl ich» und der «Stra-
   ßen» hat uns der Dichter so auf volkstümlichen Ton einge-
   stimmt, daß wir bei den Unstimmigkeiten nicht aufmerken,
   sie kaum bemerken. In gehobenem Stil sind wir ungleich
   feinhöriger. Bürger hat in seiner «kurzen Theorie der Reimkunst» bekannt: «So dichtet, redet, versifiziert und reimt
   auch Bürger, als Professor Bürger, ganz anders, als wenn

er den Minstrel macht». An gleicher Stelle bezeichnet er die Reime von ei zu eu (vgl. oben) als zwar «nicht völlig richtige, doch wenigstens verzeihliche Reime», fügte aber gleich hinzu: «dennoch wird ein Dichter von feinem Ohre, zumal in denjenigen lyrischen Gedichten, worin es auf höchste Korrektheit abgesehen ist, sich erst nach allen Seiten hin drehen und wenden und nur dann nach solchen Reimen greifen, wenn gar kein Ausweg mehr vorhanden zu sein scheint.» Humorige Dichtung endlich wird dem Reim die überraschendsten Wirkungen abgewinnen.

5. Wären für jeden Fall mehrere Proben gegeben worden, so hätten sich, selbst bei gleich langen Zeilen und bei gleicher Reimstellung, Unterschiede herausgestellt. Es scheint so zu sein, daß eine sehr musikalische Sprache den Reim freier behandeln kann als eine an sich spröde, die gewissermaßen auf Reinheit des Reims als des einzigen Klangmittels angewiesen ist. Goethe konnte sehr nachlässig reimen; aber es stört uns selten so sehr wie die aufdringliche Unreine der Schillerschen Reime.

Durchweg empfindlicher sind wir wohl bei den konsonantischen Unreinheiten. Der berühmte frankfurterische Reim:

> Ach neige,
> Du Schmerzensreiche ...

ist durchaus nicht einmalig. Ähnliches findet sich bei Stefan George, einem entfernten Landsmann Goethes (Auge: Hauche), bei dem Sachsen Novalis (Zweig: Reich, Jugend: suchend – Novalis reimt überhaupt sehr sorglos); aber selbst bei dem Märker Dehmel kommt «keucht» als Reim auf «gebeugt» vor.

Unglücklich ist auch die Ehe zwischen stimmhaftem und stimmlosem s, die Schiller mitunter stiftet:

> Da beugt sich jede Erdengröße
> Dem Fremdling aus der andern Welt,
> Des Jubels nichtiges Getöse
> Verstummt ...

Die kühnsten Neubildungen können bei Morgenstern die
Aufmerksamkeit nicht von dem Mißklang ablenken (es handelt
sich um ein ernsthaftes Gedicht):

> Butterblumengelbe Wiesen,
> Feuerampferrot getönt –
> O du überreiches Sprießen ...

Daß wir in Eichendorffs Zeilen:

> Und meine Seele spannte
> Weit ihre Flügel aus,
> Flog durch die stillen Lande ...

kaum noch hören, daß hier das Maß des Erlaubten überschrit-
ten wird, liegt wohl an der Vertrautheit dieser Verse und an
dem Mitschwingen der Schumannschen Vertonung.

Auch der Reim von f auf stimmhaftes v stört uns, wie ihn
Rilke einmal in einem Jugendgedicht verwendet:

> Einsam hinterm letzten Haus
> Geht die rote Sonne schlafen,
> Und in ernste Schlußoktaven
> Klingt das Tages Jubel aus.

Daß von den bedeutendsten Dichtern mitunter noch ganz
andere Zumutungen gestellt werden, wollen wir hier nicht
weiter ohrenfällig machen. Kam es doch nur darauf an, dem
Leser Gründe für ein verspürtes Unbehagen zu geben, den
jungen Dichter vor zu großer Sorglosigkeit zu warnen und allgemein das Gehör zu schärfen für Arten und Unarten der Reimkunst. Wer nicht imstande ist, Mißklänge als solche zu hören,
dem entgehen mit Gewißheit auch die letzten Schönheiten des
Versklanges.

RÜHRENDER REIM

Die Franzosen sprechen von einem vollständigen Reim, wenn
auch die Laute, die in der Silbe des betonten Vokals *vor* ihm
stehen, gleich klingen. Wir nennen das «rührenden Reim», und
seine Wirkung auf unser Ohr mag der Leser an einem Beispiel aus Schillers Gedicht *Die berühmte Frau* erfahren:

> Bis in die Vaterstadt der Moden
> wird sie in allen Buden feil geboten
> muss sie auf Diligencen, Packetbooten ...

Der Eindruck ist auf uns heutige Leser vernichtend. Dabei war der rührende Reim in mittelalterlicher Dichtung durchaus üblich und wurde sogar noch im 18. Jahrhundert von einem Verskünstler wie Ramler gebilligt (mit der Berufung auf das «Exempel der Ausländer», d. h. der Franzosen). Heute aber dürfen wir als Regel angeben, daß der rührende Reim eine auffällige Unschönheit bedeutet. Arnim sind nur wenige Gedichte wirklich gelungen; selbst bei einem seiner schönsten erschrickt der Leser, wenn er an die Schlußstrophe kommt (Mir ist zu licht zum Schlafen):

> Ich habe was zu sinnen,
> Ich hab, was mich beglückt;
> In allen meinen Sinnen
> Bin ich von ihr entzückt.

Im 2. Teil des Faust muß der Leser die vorgeschriebene Musik mithören, um den rührenden Reim zwischen den Zeilen 9895/97 zu überhören:

> Die Vorigen: Übermut und Gefahr,
> Tödliches Los!
> Euphorion: Doch! – und ein Flügelpaar
> Faltet sich los!

Der rührende Reim stört, auch wo er versteckt wird:

> Wie Delphine sie begleiten!
> Munter in die Ferne gleiten ...

Oder von Däubler:

> Vor grellen Fenstern und Laternen schwirrt es,
> Die Silbermücken finden keine Rast.
> Nun tönt Geklirr, die Stimme eines Wirtes ...

Etwas anders liegt der Fall, wenn der Dichter offen das gleiche Wort zum Reimen verwendet. Schiller hat sich in Stanzen, die ja Dreireim fordern, mehrfach auf diese Weise geholfen, daß er dasselbe Wort an erster und dritter Stelle brachte. In den Stanzen

An Goethe. Als er den Mahomet von Voltaire auf die Bühne brachte
begegnen die Reihen: Zeit/Minderjährigkeit/Zeit; werden/Ge-
bärden/werden. Aber zur Nachahmung reizt das kaum. Natürlich kann einmal die Wiederholung identischer Reimwörter
Absicht sein und eine besondere Aufgabe erfüllen, wie in
folgender Strophe aus Novalis' *Lied der Toten:*

> Uns ward erst die Liebe Leben;
> Innig wie die Elemente
> Mischen wir des Daseins Fluten,
> Brausend Herz mit Herz.
> Lüstern scheiden sich die Fluten,
> Denn der Kampf der Elemente
> Ist der Liebe höchstes Leben,
> Und des Herzens eignes Herz.

Der Leser mag entscheiden, ob die erkannte Absicht ausreicht,
die zunächst empfundene Störung im Klanglichen aufzuheben.

REIMSTELLUNG

Je nach der Stellung des Reims unterscheidet man:

1. Reimpaarverse: aa bb cc dd ...

> von diu swer seneder maere ger,
> dern var niht verrer danne her;
> ich wil in wol bemaeren
> von edelen senedaeren,
> die reiner sene wol taten schin:
> eine senedaer unde ein senedaerin,
> ein man ein wip, ein wip ein man,
> Tristan Isolt, Isolt Tristan.

Unsere ganze erzählende Versdichtung des hohen Mittelalters
reimt in dieser Art; aus neuerer Zeit nennen wir als umfang-
reicheres Werk Conrad Ferdinand Meyers *Huttens letzte Tage.*

2. Kreuzreim: a b a b c d c d ...

> Es ist ein Schnee gefallen,
> Und ist es doch nit Zeit,
> Man wirft mich mit den Ballen,
> Der Weg ist mir verschneit.

Ein großer Teil der Volkslieder und fast alle «volkstümliche» Lyrik des 19. Jahrhunderts reimt in dieser Art, die ja zugleich dem Vierzeiler festes Gefüge gibt.

3. Umarmender Reim: a b b a c d d c

> An Alexis send ich dich;
> Er wird, Rose, dich nun pflegen;
> Lächle freundlich ihm entgegen,
> Daß ihm sei, als säh er mich!

Im strengen Sonett haben die beiden Quartette stets umarmenden Reim.

4. Schweifreim: a a b c c b

> Der Mond ist aufgegangen,
> Die goldnen Sternlein prangen
> Am Himmel hell und klar;
> Der Wald steht schwarz und schweiget,
> Und aus den Wiesen steiget
> Der weiße Nebel wunderbar.

Wieder trägt die Reimstellung sehr stark zur höheren Gliederung bei: die sechszeilige Strophe mit Schweifreim baut sich immer aus zwei Teilen auf.

Neben diesen üblichsten Anordnungen des Reims kommen noch manche andere vor, die wir zum Teil schon bei den Strophen- und Gedichtformen genannt haben (Stanze, Ghasel u. a.). Im ganzen sind wir wohl etwas stumpfer im Erfassen des Reims geworden, als es frühere Zeiten waren. Der Leser mag prüfen, ob ihm in der folgenden Strophe Hans Sachsens – sie ist in der *Rebenweis Hans Vogels* geschrieben – nicht manche Gleichklänge entwischen, die weit auseinander stehen. Aber vielleicht kam auch damals nur ein Kenner der Strophe hinter die Reimanordnung:

> Ein Ehvolk dreißig Jahr
> friedlich lebet, an allem Ort,
> mit Werk und Wort;
> verdroß den Teufel gar,

all sein List war umsunst,
in Fried sie unvernecket blieben.
Er verhieß ein Paar Schuch
einem uralten Weib, versteh!
wo sie die Eh
möcht fällen in Ehbruch,
dadurch sie aus Ungunst
zu einem Mord würden getrieben.
Die alt Hex nahm den Handel an,
sprach zu der Frauen: «Euer Mann,
der treibet heimlich Buhlerei;
wollt ihr es innen werden frei,
so stoßt in euer Bett
ein Messer unter euer Haupt.
Danach, gelaubt,
wenn er von euch aufsteht,
so werd't ihr durch die Kunst
erfahren, seht, wen er tut lieben.»

Strömen die Reime in Fülle herzu und mag sich der Dichter an
keine feste Ordnung binden, so wird er den Strophenbau aufgeben; die Romantiker haben dies vielfach getan; aus neuerer Zeit
findet man bei Rilke manche Beispiele, vor allem im *Stundenbuch:*

Und ihre Menschen dienen in Kulturen
Und fallen tief aus Gleichgewicht und Maß
Und nennen Fortschritt ihre Schneckenspuren
Und fahren rascher, wo sie langsam fuhren,
Und fühlen sich und funkeln wie die Huren
Und lärmen lauter mit Metall und Glas.

Es ist, als ob ein Trug sie täglich äffte,
Sie können gar nicht mehr sie selber sein;
Das Geld wächst an, hat alle ihre Kräfte
Und ist wie Ostwind groß, und sie sind klein
Und ausgeholt und warten, daß der Wein
Und alles Gift der Tier- und Menschensäfte
Sie reize zu vergänglichem Geschäfte ...

Klangfrohe Zeiten wie Barock und Romantik haben sich
außer dem Zeilenende noch andere Stellen des Verses gesucht, die sie zum Gleichklingen brachten. Reimen Wörter
innerhalb der Zeilen, so spricht man von BINNENREIM. Tieck
hat es einmal scherzhaft gehäuft:

> Ein nett honett Sonett so nett zu drechseln,
> Ist nicht so leicht, ihr Kinderchen, das wett ich ...

Streng genommen sind es fast lauter rührende Binnenreime.
Von ANFANGSREIM spricht man, wenn in zwei Zeilen die ersten
Wörter gleich klingen:

> Das Leben ist
> Ein Laub, das grunt und falbt geschwind.
> Ein Staub, den leicht vertreibt der Wind.
> Ein Schnee, der in dem Nu vergehet.
> Ein See, der niemals stille stehet.
> Ein Blum, so nach der Blüt verfällt.
> Der Ruhm, auf kurze Zeit gestellt ...
> Ein Schatten, der uns macht schabab.
> Die Matten, so gräbt unser Grab. (Harsdörffer)

Unter SCHLAGREIM versteht man den Gleichklang zweier
aufeinanderfolgender Wörter:

> Sonne, Wonne, himmlisch Leben ...

In der Barockzeit brachte man mehrfach das den Italienern
abgelauschte Kunststück fertig, in einem Sonett alle Hebungen
in den jeweils korrespondierenden Zeilen miteinander zu reimen. So aufdringliche «Klinggedichte» (das war die damals
übliche Bezeichnung für das Sonett) lagen wohl den Reim-
gegnern des 18. Jahrhunderts noch im Ohr.

Beim KETTENREIM sind fortlaufend das Wort am Zeilenende
und ein Wort im Innern der nächsten Zeile durch den Reim
verbunden, wie etwa in folgenden Versen Fr. Schlegels:

> Wenn langsam Welle sich an Welle schließet,
> Im breiten Bette fließet still das Leben,
> Wird jeder Wunsch verschweben in den einen.

Durch den Reim ist auch der verswissenschaftliche Begriff der
TIRADE bestimmt. Man versteht darunter eine Gruppe gleich-
gebauter Verse, die alle auf denselben Reim endigen; die an-
schließende Tirade verwendet mit dem anderen Zeilenmaß
einen neuen Reim. Diese Art der Fügung findet sich in mittelalterlicher spanischer und französischer Dichtung, wie z. B.

dem Rolandslied (die Gruppen werden auch als LAISSES bezeichnet), wurde aber schon in den deutschen Übersetzungen der
Zeit durch den Paarreim ersetzt. Auch später haben die Ti-
raden bei uns kaum Beachtung gefunden.

ABGENUTZTE UND NEUE REIME

Der Kampf um den Reim wiederholte sich um die Wende des
19. und 20. Jahrhunderts. Arno Holz, der sich in seinem *Buch
der Zeit* als leichter und gewandter Reimer gezeigt hatte, war
dieses Mal der Anführer der Jungen. Als gewichtigstes Argument gegen den Reim wurde die Beschränkung der Freiheit
genannt; ein nicht gerade durchschlagendes Argument. Denn
zum Verse, der gebundenen Rede, gehören ja nun einmal die
Bindungen. (Arno Holz hat tatsächlich eine Befreiung von der
ganzen herkömmlichen Versordnung gefordert und im *Phantasus* vorgeführt. Das Ergebnis war eine gegliederte Prosa.
Holzens Lebenskampf um eine neue Ordnung des deutschen
Verses war ein tragischer Irrtum.) Die Vergewaltigung, die
einschnürende Wirkung des Reims, so wurde weiter gesagt,
werde an den abgegriffenen Reimen besonders deutlich; durch
jahrhundertelange Nutzung seien Reime wie Herz: Schmerz,
Liebe: Triebe derart abgegriffen, daß sie unwirksam, geradezu
peinlich geworden seien. So sähe sich der Dichter auf Schritt
und Tritt in seiner Originalität und Schöpferkraft beengt.
Daran ist gewiß etwas Richtiges. Herz und Schmerz wirken
leicht als Klischee, und nicht nur als Klang, sondern mit allem,
was sich dazu sagen läßt. Wir geben eine Probe aus neuerer
Lyrik, eine Strophe Ruth Schaumanns. Obwohl die beiden
Wörter in völlig neue Bezüge gestellt werden, spürt man, wie
der so vertraute Reim eigene, traditionelle Inhalte mit sich bringt
und so der Verwirklichung der neuen Bezüge hinderlich ist:

> Da rauschte die Erde, da klagten die Winde,
> Da wuchs zwischen Sternen die Freude zum Schmerz,
> Da sank meine Ferne und legte sich linde
> Als Lächeln herab auf dein schlummerndes Herz.

Ähnlich ergeht es mit dem Reim Liebe : Triebe, und wer Bäume auf Träume reimt, gerät leicht in Eichendorffklang, der dieser Verbindung durch 36fachen Gebrauch in seinen Gedichten seinen Stempel aufgedrückt hat. Aber wie viele solcher ausgefahrener Gleise gibt es? Ihre Zahl ist wahrlich nicht sehr groß. Man hat auf der anderen Seite die Gegenrechnung gemacht und gezeigt, wie sich in den letzten Jahrzehnten die Möglichkeit des Reimens vermehrt hat: durch Aufnahme veralteter und dialektischer Ausdrücke, durch Verwendung von Fremdwörtern, Eigennamen, neuer Bezeichnungen der Wissenschaft, Technik, von Gebrauchsgegenständen der modernen Zivilisation usf. Mit dem Gebrauch greller, «unpoetischer» Fremdwörter hatte schon der Naturalismus, hatte gerade Arno Holz überraschende Wirkungen erzielt. In der ersten Strophe von dessen Gedicht *Phantasus* reimen Sterne : Mietskaserne; Fabrik: Musik; Bier : Quartier, und als Dreireim verbindet Arno Holz Mutter, Luther und Butter. Bald darauf hat dann Rilke dem Reim der Fremdwörter die eigenartigsten Effekte entlockt. In den vierzehn Zeilen der *Flamingos* finden sich: Fragonard : war; Grüne : Phryne; Volière : Imaginäre. Man hat weiterhin festgestellt, daß in der neueren Lyrik eine Neigung zu den unbedeutenden Reimwörtern herrscht. Als reimfähig erscheinen da alle Arten von Fürwörtern, Artikeln, Bindewörtern. Und damit entsteht eine Frage ernsterer Art. Nämlich ob es sich wirklich noch immer um Reime handelt. Für das Ohr und nicht nur für das kontrollierende Auge. Sobald nämlich solche Wörter keine Pause mehr nach sich haben, können wir sie nicht mehr als Reime hören. Gleichzeitig wird damit die Verszeile zerstört, deren Ende nun der Einschnitt fehlt. Der verständliche Wunsch, abgegriffene Reime zu meiden, mag oft zu solcher Verwendung der unbedeutenden Reimwörter geführt haben. Aber der sich in dieser Art äußernde Drang nach Originalität wirkt selber leicht unoriginell. Man hat bei jungen Dichtern nicht selten den Eindruck, als folgten sie einer Rilke abgelernten Mode. Und hier kommt nun noch gegenüber den «abgegriffenen Reimen» hinzu, daß der ganze Vers verwildert. Wir möchten auch bei der Anwendung dieses neuen Mittels zu großer Behutsamkeit mahnen, wobei sich dann zugleich herausstellt, daß es gar nicht so neuartig ist. Und schließlich gilt hier, was schon bei der «Unreinheit» der Reime galt (und weswegen die Berufung auf Rilke nicht standhält): klangliche Freiheiten sind da am unauffälligsten, wo die ganze Sprache voller Klang ist. Wem aber der Reim das wichtigste Klangmittel ist, der muß schon mit aller Sauberkeit und Sorgfalt seine Reime fügen.

ANDERE REIMARTEN

1. STABREIM. Unter Reim verstehen wir üblich den Endreim. Wir erwähnten schon, daß die germanische Dichtung eine andere Art des Reimes kannte: die Alliteration oder den Stabreim. Drei von den vier betonten Stammsilben einer Zeile begannen mit dem gleichen Laut. In der Umgangssprache leben noch viele durch Stabreim gebundene Formeln: Mann und Maus, Haus und Hof, Kind und Kegel usf. In unserer Dichtung tritt der Stabreim nicht selten auf; da er aber nicht mehr in dem Betonungsgefüge lebt, wirkt er nur als Klangmittel. Fouqué, Richard Wagner und Wilhelm Jordan haben im 19. Jahrhundert versucht, ihm seine alte Funktion als entscheidendes Bindemittel des Verses zurückzuerobern. Wir geben als Probe Wotans Worte aus dem *Rheingold:*

> Vollendet das ewige Werk:
> auf Berges Gipfel
> die Götter-Burg,
> prunkvoll prahlt
> der prangende Bau!
> Wie im Traum ich ihn trug,
> wie mein Wille ihn wies,
> stark und schön
> steht er zur Schau;
> hehrer, herrlicher Bau!

Erfolg haben die Bemühungen nicht gehabt, und das ist verständlich. Denn abgesehen von den sprachlichen Härten und Verrenkungen, die bei der Suche nach Alliterationen so spürbar werden, empfindet unser Ohr den gehäuften Stabreim weniger als Klang denn als Geräusch und fühlt schon bei der Vorerwartung Unbehagen. Wagner hat das Gegenteil von dem erreicht, was er wollte. In wirklich klangvoller Sprache wird der Stabreim meist erst dem prüfenden Blick bewußt und wirkt als ein Mittel neben anderen wie Binnenreim, Assonanz, Harmonie der Vokale. Wir geben als Probe einige Zeilen aus Eichendorffs Gedicht *Frühlingsdämmerung:*

> In der stillen Pracht,
> In allen frischen Büschen und Bäumen
> Flüstert's wie Träumen
> Die ganze Nacht.
> Denn über den mondbeglänzten Ländern
> Mit langen weißen Gewändern
> Ziehen die schlanken
> Wolkenfraun wie geheime Gedanken,
> Senden von den Felsenwänden
> Hinab die behenden
> Frühlingsgesellen, die hellen Waldquellen,
> die 's unten bestellen
> An die duftigen Tiefen,
> Die gerne noch schliefen ...

2. ASSONANZ. Erst seit der Zeit der Romantik ist bei uns, wenn wir vom Mittelalter absehen, die Assonanz als bewußtes Kunstmittel gepflegt worden, und zwar lernten sie die Romantiker aus dem Spanischen kennen, wo sie in den alten Romanzen die Stelle des Endreims vertritt. Die gleiche Assonanz wird, ähnlich wie der Reim im Ghasel, nach dem ersten Verspaar in allen geraden Zeilen durch das ganze Gedicht wiederholt, während die ungeraden Zeilen klanglich ungebunden bleiben. Die Assonanz besteht in dem Gleichklang nur der Vokale in den betonten (bzw. und den ihnen folgenden) Silben. Es assonieren also jeweils: still/ritt/Tisch; Friede/Liebe/Wiegen; sangbar/sattsam/Waldnacht ... Herder, der sich als einer der ersten an spanischen Romanzen begeisterte und nicht wenige davon für seine Volksliedersammlung übertrug, verzichtete bewußt auf die Nachbildung der spanischen Assonanzen. Ihm war der Zwang zu groß, den gleichen Klang zu wahren; es er-

schien ihm zudem gegen den Geist der deutschen Sprache. Als
dann die klangfrohen Romantiker zeigten, wie leicht es von
der Hand gehen könne, blieb er doch bei seiner Meinung,
schrieb den *Cid* ohne Assonanzen und spottete über seine Zeitgenossen, die «das Nachtwächterhörnchen bliesen». Im Grunde
hat Herder recht behalten. Die Assonanz ist uns als Bindemittel
der Verse nicht vertraut geworden. Es liegt weniger daran, daß
die deutsche Sprache nicht so leicht assoniert wie die spanische,
sondern daran, daß in unseren unbetonten Silben fast immer das
tonlose e erscheint, das klanglich nicht wirkt. Vielleicht fehlt
es uns auch an Schulung des Gehörs – jedenfalls geschieht es
nur zu leicht, daß uns die Assonanzen einfach entwischen. Ihre
bindende Kraft ist im Deutschen sehr gering. Der Leser mag an
dem Nebeneinander von Herders assonanzloser und Eichendorffs assonierender Übertragung einer Cid-Romanze selber
hören, ob die treuere Übertragung wirklich klangvoller ist.
Eichendorff läßt dabei vielfach sogar die ungeraden Zeilen
assonieren. Die inhaltlichen Unterschiede rühren von Verschie-
denheiten in den Vorlagen her:

Herder: Grad einreiten in Zamora
               Will der Cid, als ihn die Wache,
               Ihn mit seinen fünfzehn Kriegern,
               Anhält, draußen vor dem Tor.
               Laut und lauter wird das Lärmen,
               Lauter das Geschrei der Straßen,
               Bis es zur Infantin drang ...

               ... Also sprach, gepreßt den Busen
               an die Mauer, Donna Uraka;
               So antwortet sie dem Cid.
               Er, betroffen von der Antwort,
               Hält verworren; dann auf einmal
               Lenkt er um sein Roß Babieca;
               «Rückwärts!» höret man ihn murmeln,
               «Rückwärts!» zwischen seinen Lippen,
               Reitend nach dem Lager stumm.
               Und so kommt er von Zamora
               Wohl von manchem Pfeil verwundet,
               Der, auch ohne Spitz und Eisen,
               Tief im Herzen bohrend glüht.

Eichendorff: Schon in Trümmern lag Zamora,
Das der stolze Cid umzingelt,
Auf den Turm da trat Urraca,
Rief von den zerschossnen Zinnen:
«Übermütger Cid da drunten,
Solltest dich der Zeit erinnern,
Da am Altar von Sankt Jago
Sie geschlagen dich zum Ritter! ...»

... «Auf, mein Volk», rief da der Ritter,
«Auf und wendet euch von hinnen!
Denn ein Pfeil dort durch die Lüfte
Schwirrte von des Turmes Zinnen,
Ohne Eisen war die Spitze,
Hat mir doch das Herz zerrissen,
Und kein Heilkraut gibt's auf Erden,
Muß fortan nun trostlos irren!»

Trotz aller Verliebtheit der Romantiker und trotz des klanglichen Wunderwerkes von Brentanos Romanzen vom Rosen-
kranz, dem musikhaltigsten Werk der deutschen Sprache, hat
sich die Assonanz so wenig eingebürgert, daß es schwer hält,
aus nachromantischer Zeit Beispiele zu finden, wenn man die
Übersetzungen aus dem Spanischen beiseite läßt. In neuerer
Zeit hat George ihre Verwendung gelegentlich versucht *(Der
Widerchrist)*.

Als unvollkommener Endreim ist die Assonanz natürlich
seit je bei uns gebraucht worden; die Volkslieder und volkstümlichen Gedichte sind voll davon.

Und alle die grünen Orte,
Wo wir gegangen im Wald,
Die sind nun wohl anders geworden,
Da ist's nun so still und kalt.

3. SCHÜTTELREIM. Die Aufzählung der Reimarten wäre unvollständig, gedächten wir nicht auch der fröhlichen Kunst des
Schüttelreims. Er entsteht, indem die anlautenden Konsonanten der reimenden Silben vertauscht werden; die Rechtschrei-
bung spielt dabei keine Rolle, nur die Lautung.

Als wach mich hat der Sonne Schein gerüttelt,
Fragt ich mich bang: hab ich auch rein geschüttelt?

Die edle Kunst hat viele stille Freunde; der Leser wird vielleicht an sich selber erfahren, welche Freude das Finden neuer, ungewöhnlicher Schüttelreime macht, er wird freilich vielleicht auch erfahren, daß man dieser Jagd bis zur Besessenheit verfallen kann. Im übrigen gibt es eine schon beträchtliche Literatur. Wir nennen nur das Insel-Büchlein: *Benno Papentrigks Schüttelreime,* aus dem der Leser mit Überraschung hört, zu welch ernsten, gehaltvollen Versen sich Schüttelreime fügen lassen.

SIEBENTES KAPITEL

VOM RHYTHMUS

Drei Gedichte sollen uns den Zugang verschaffen: eines von
F. Spee aus dem 17. Jahrhundert, aus dem nur wenige Strophen
ausgewählt wurden, eins von Goethe aus dem *Divan* und eins
von Eichendorff.

Spee: Bei stiller Nacht, zur ersten Wacht
     Ein Stimm sich gund zu klagen.
     Ich nahm in acht, was die doch sagt;
     Tat hin mit Augen schlagen.

     Ein junges Blut, von Sitten gut,
     Alleinig ohn Gefährten,
     In großer Not, fast halber tot,
     Im Garten lag auf Erden.

     Es war der liebe Gottessohn,
     Sein Haupt er hat in Armen,
     Viel weiß- und bleicher dann der Mon,
     Eim Stein es mocht erbarmen.

     Ach Vater, liebster Vater mein,
     Und muß den Kelch ich trinken,
     Und mag's dann ja nit anders sein,
     Mein Seel nit laß versinken.

     Ach liebes Kind, trink aus geschwind,
     Dir's laß in Treuen sagen:
     Sei wohl gesinnt, bald überwind!
     Den Handel mußt du wagen ...

Goethe: Hans Adam war ein Erdenkloß,
     Den Gott zum Menschen machte,
     Doch bracht er aus der Mutter Schoß
     Noch vieles Ungeschlachte.

     Die Elohim zur Nas hinein
     Den besten Geist ihm bliesen,
     Nun schien er schon was mehr zu sein,
     Denn er fing an zu niesen.

Doch mit Gebein und Glied und Kopf
Blieb er ein halber Klumpen,
Bis endlich Noah für den Tropf
Das Wahre fand, den Humpen.

Der Klumpe fühlt sogleich den Schwung,
Sobald er sich benetzet,
So wie der Teig durch Säuerung
Sich in Bewegung setzet.

So, Hafis, mag dein holder Sang,
Dein heiliges Exempel,
Uns führen, bei der Gläser Klang,
Zu unsres Schöpfers Tempel.

Eichendorff: Verschneit liegt rings die ganze Welt,
Ich hab nichts, was mich freuet,
Verlassen steht ein Baum im Feld,
Hat längst sein Laub verstreuet.

Der Wind nur geht bei stiller Nacht
Und rüttelt an dem Baume,
Da rührt er seine Wipfel sacht
Und redet wie im Traume.

Er träumt von künftger Frühlingszeit,
Von Grün und Quellenrauschen,
Wo er im neuen Blütenkleid
Zu Gottes Lob wird rauschen.

Wir können von jedem Gedicht das metrische System aufzeichnen, jenes Schema der Hebungen und Senkungen, der Zeilen, Strophen, der Reimverteilung, wie wir es in den einzelnen Kapiteln kennengelernt haben. Das Ergebnis wäre: alle drei Gedichte verwenden vierzeilige jambische Strophen, in denen die erste und dritte Zeile, je vierhebig mit männlichem Ausgang, und ebenso die zweite und vierte Zeile, die drei Hebungen und weiblichen Ausgang haben, miteinander reimen. Metrisch sind also die Verse völlig gleich. Aber der Leser wird schon bei stummem Lesen empfunden haben, daß die Gedichte, auch wenn wir von Inhalt und Melodie absehen, recht verschieden sind. Sie haben ein anderes Gefälle, eine ganz andere Bewegung und innere Spannung, sie unterscheiden sich mit einem Worte, im Rhythmus. So aber wird es immer sein, so viel Gedichte wir auch zusammenstellen: der Rhythmus jedes Gedichts ist einmalig, ist individuell, gehört ihm und nur ihm zu.

Was aber zwingt uns, die Gedichte derart verschieden zu lesen? Worauf beruhen die Unterschiede? Worin bestehen sie überhaupt? Es läßt sich bei genauerem Hinhören mancherlei feststellen. Schon in der ersten Zeile des Goetheschen Gedichtes etwa spürt man, daß jede Betonung mit einem kräftigen Druck gesprochen wird. Demgegenüber liegen die Hebungen in den beiden anderen Gedichten nur geringfügig über den Senkungen, die Wellenkämme heben sich nicht sehr hoch über die Wellentäler hinaus. Die ganze Artikulation ist dort straffer als hier, und dementsprechend ist auch das Tempo bei Goethe langsamer als bei Spee und Eichendorff. Aber all das ist noch nicht das Wesentliche.

Schon im täglichen Leben sprechen wir einen Satz nicht als Einheit, sondern in mehr und weniger deutlich getrennten Wortgruppen. «Schon im täglichen Leben» – das war eben eine solche Gruppe, hinter der ein kleiner Einschnitt liegt. Die Grenzen brauchen nicht mit den Atemzügen des Sprechens und nicht mit den Interpunktionszeichen der Schrift zusammenzufallen. Auch beim Sprechen von Versen erscheinen solche Einheiten, die man als «Kola» zu bezeichnen pflegt.

Hören wir daraufhin die Gedichte noch einmal ab, so fallen die Kola sehr oft mit den Verszeilen zusammen. Aber doch nicht immer. In dem Speeschen Gedicht z. B. besteht gleich die erste Zeile aus zwei leicht, aber merklich geschiedenen Gruppen:

Bei stiller Nacht / zur ersten Wacht

Der Reim macht die kleine Pause nur um so notwendiger, ist aber nicht die eigentliche Ursache, wie sich aus der ersten Zeile von Goethes *Fischer* erkennen läßt:

Das Wasser rauscht, das Wasser schwoll.

(Die Verswissenschaft nennt solche Verse, in denen je zwei »Füße« eine merkliche Einheit bilden, *dipodisch*. Die Einheit bekundet sich im deutschen Vers nicht nur durch die Einschnitte um die Gruppe, sondern auch ihre Unterordnung unter *einen* Hauptakzent.)

Aber selbst da, wo in unseren drei Gedichten die rhythmischen Einheiten gleich lang sind, gleichen sie sich, wie unser Ohr uns belehrt, keineswegs. Sie füllen nämlich das gleiche metrische Schema recht verschieden aus. Die Eichendorffsche Zeile:

> Und rüttelt an dem Baume

spielt über dem Schema:

$$\cup - \cup - \cup - \cup$$

Beim Vortrag hören wir aber gar nicht drei, sondern nur zwei volle Betonungen:

> Und rüttelt an dem Báume.

Es ist, als ob die kaum merkliche Verzögerung hinter «rüttelt» die Kraft zur Hebung auf «an» aufgezehrt hätte. Genau wie es in der entsprechenden Reimzeile geschieht:

> Und rédet wie im Tráume.

In einigen vierhebigen Zeilen dieses Gedichts werden nur drei Hebungen voll betont:

> Verschneit liegt rings die ganze Welt ...
> Verlassen steht der Baum im Feld ...

An sich könnte man gewiß vierhebig lesen; wenn man aber das Gedicht «kennt» (und nur dann kann man ja den Anfang richtig lesen), bleibt keine andere Möglichkeit. Jedesmal liegt hinter dem ersten Worte eine ganz kleine Pause, die die Erfüllung der nächsten Hebung verhindert.

Anders klingen einige Goethesche «vierhebige» Zeilen. Da finden sich nur zwei wirksame Betonungen:

> Bis endlich Nóah für den Trópf ...
>
> So wie der Téig durch Säuerung ...

Der individuelle Gesamtrhythmus eines Gedichts gründet sich zu einem guten Teil schon in der Eigenart der kleinsten rhythmischen Einheiten.

Gerade in der Selbständigkeit der Kola gegenüber dem Metrum offenbart sich das Dasein des Rhythmus. Es handelt sich nicht um völlige Lösung oder gar Feindschaft: die «rhythmischen» Betonungen lagen jedesmal an der Stelle von metrischen Hebungen, und wo das Schema eine Senkung vorschrieb, da blieben die Silben unbetont. Das Schema stellt schon die Grundlage dar, durch die die einmalige Bewegung des Gedichtes bestimmt wird. Wir möchten es einem Cannevas vergleichen, der selber unter der vollendeten Arbeit verschwindet, aber doch Länge, Dicke und Richtung der einzelnen Stiche bestimmt hat.

METRISCHER RHYTHMUS

Was geschieht, so läßt sich fragen, wenn der Rhythmus eines Gedichtes möglichst nah beim Metrum bleibt? Wenn jede Hebung erfüllt wird und die Einschnitte beim Sprechen immer und nur den Schnitten des Schemas entsprechen? Strophen aus einem Platenschen Gedicht sollen die Antwort geben.

> Mit feuchtem Augenlide
> Begrüß ich Hain und Flur;
> Im Herzen wohnt der Friede,
> Der tiefste Friede nur.
>
> Schon lacht der Lenz den Blicken,
> Er mildert jedes Leid,
> Und seine Veilchen sticken
> Der Erde junges Kleid.
>
> Schon hebt sich hoch die Lerche,
> Die Staude steht im Flor,
> Es ziehn aus ihrem Pferche
> Die Herden sanft hervor.
>
> Das Netz des Fischers hanget
> Im hellsten Sonnenschein,
> Und sein Gemüt verlanget
> Der Winde Spiel zu sein ...

So geht es noch sechs Strophen weiter. Der Gesamteindruck ist der einer hölzernen Starre. Man kann beim Lesen das berühmte «Leiern» kaum vermeiden, das in der Gleichmäßigkeit der kräftigen Hebungsschweren und der völligen Gleichheit der Hebungsabstände (sowie der Abwesenheit aller Melodie) besteht. Dem Gedicht fehlt innere Spannung, fehlt Bewegtheit, fehlt eben der Rhythmus; hier ist, so darf man sagen, der Rhythmus vom genau erfüllten Metrum aufgezehrt worden. Der Leser kann selber versuchen, wieviel lebendiger manche Zeilen durch kleine Umstellungen würden. In der Anfangszeile der dritten Strophe hat der Dichter aus übergroßem Respekt vor dem Schema die drei stark betonten Silben des Prosasatzes «die Lérche hébt sich schon hóch» auf die drei metrischen Hebungen gesetzt. Die Zeile würde ihre Eintönigkeit durch eine kleine Unregelmäßigkeit verlieren: «Hoch hebt sich schon die Lerche.» Nun könnten nur noch zwei volle Betonungen gesprochen werden, und die tötende Gleichheit der Hebungsabstände wäre vermieden. Verse sind da, so sagten wir eingangs, wo sich die Betonungen im Abstande von nicht ganz einer Sekunde folgen; lebendiger Rhythmus ist da, so müssen wir jetzt hinzufügen, wo dieses Grundmaß frei umspielt wird (die strenge Grenze doch umgeht gefällig ein Wandelndes!) und wo die Betonungen in ihrer Schwere dauernd abgestuft werden.

Manche Dichter seit Opitz wirken bei äußerster Korrektheit im Metrischen so starr wie Platen. Daß darüber hinaus mehr geleiert wird als nötig wäre, ist wohl eine Folge der Sprecherziehung in der Schule. (Man sollte ihr deshalb nicht gleich das Urteil sprechen: auch die Musikerziehung kann nicht anders zum Rhythmus führen, der dem Anfänger gar nicht ohne weiteres erfaßbar ist, als indem sie zunächst an das Takthalten gewöhnt. Nur sollte es natürlich dabei ebensowenig bleiben wie beim Leiern.) An dieser Stelle aber wird deutlich, warum die früher besprochenen Reihungen von Wörtern mit dem gleichen Tonfall leicht so hohl klingen: sie drängen zur Regelmäßigkeit in der Betonung und Pausierung, sie lassen kaum Variationen in der Gleichheit zu und verfehlen damit das Wesentliche des Rhythmus. Zur Ergänzung der Proben auf S. 79 seien noch einige Verse Friedrich Schlegels gegeben, assonierende Trochäen aus dem Zyklus *Abendröte:*

Als die Sonne nun versunken,
Blühet noch der Abend rot.
Lange schienen weit die Flammen,
Gegenüber stand der Mond;
Wie zwei Welten gegenüber,
Diese bleich und jene rot,
Mitten inne kleine Sterne
An des Himmels Gürtel hoch,
Unten dann die große Erde,
Wo im tiefen Dunkel schon
Blumen duften, Bäume rauschen
Bei der Nachtigallen Ton.
Blaß wird jede schöne Glut ...

So unmelodisch hat wohl kaum je eine dichterische Nachtigall
gesungen.

GEFÄLLIGES UMGEHEN DER GRENZE

Variation in der Gleichheit – das ist das Grundgesetz aller
rhythmischen Schönheit. (Für die Leser, die das Wort Schönheit scheuen, ließe sich auch sagen: aller rhythmischen Lebenskraft.) Es gilt nicht nur für die Stärke und Wiederkehr der Hebungen, sondern auch für die rhythmischen Einheiten, die Kola.
Und erst damit wird das Wesen des Rhythmus klarer. Wir beginnen wieder mit einem Gegenbeispiel, und wiederum sind
es Verse Friedrich Schlegels:

Dunkle Trauer zieht mich nieder,
Will in Wehmut ganz vergehen;
Wenn ich sehe, was geschehen,
Wenn ich denke, was gewesen,
Will die Brust in Schmerz sich lösen! –
So fahrt denn wohl, ihr lieben Wogen,
Wo ich Schmerz und Mut gesogen;
Denn den Mut auch fühl ich schlagen,
Und inmitten solcher Klagen
Springt die Quelle starker Jugend,
Und es waffnet stolze Tugend
Unsre Brust mit Heldentreue.
Da entweicht denn alle Reue;
Kann ich gleich mit euch nicht leben,
So ergreift euch doch mein Streben.

Wo ich wandre, wo ich weile,
Glühen Männer, blühen Lieder,
Und ich fühle wohl Vertrauen,
Auf des Herzens Fels zu bauen ...

Wo ich wandre, wo ich weile,
Glühen Männer, blühen Lieder ...

Gewiß sind in diesen Versen nicht alle Hebungen gleichmäßig stark erfüllt. Jedesmal müssen die erste und die dritte «Hebung» wesentlich schwächer gesprochen werden als die zweite und vierte, und da jede Zeile deutlich aus zwei Kola besteht, haben wir als wiederkehrende Einheit x̀ x x́ x. Aber es ist just die Wiederkehr immer derselben Einheit, die in diesen Versen so ermüdend wirkt. Gleich im Anfang erscheint sie in den ersten vier Zeilen achtmal hintereinander. Nachdem dann die drei nächsten Zeilen einige Abwechslung gebracht haben (die Unregelmäßigkeit der eingestreuten jambischen sechsten Zeile läßt den Leser sogar stolpern), plätschert es von Zeile acht an wieder in dem gleichen Tonfall weiter. Die Eintönigkeit ist so stark und einschläfernd, daß sie auch Zeilen unter ihre Herrschaft zwingt, die, herausgenommen, lebendiger gelesen werden *könnten*, die aber hier nun angeglichen werden. In uns lebt offensichtlich eine starke Neigung zur Gleichförmigkeit; das Gefühl für «Schönheit» stellt sich erst auf einer höheren Stufe ein.

Die Eintönigkeit wird durch die Zeilengleichheit sehr gefördert. Wenn immer die gleiche Zeile wiederkehrt und nicht einmal Strophen größere Einheiten schaffen, liegt solche Gefahr stets auf der Lauer. Das gilt in erster Linie für kurze Zeilen, wo meist der ganze Vers eine rhythmische Einheit bildet oder doch die Möglichkeit zu variieren gering ist. Bei längeren Zeilen ist mit der Vielzahl der möglichen Schnitte der Abwechslung Tür und Tor geöffnet.

Es versteht sich jetzt, warum die deutsche Lieddichtung, die ja vorzugsweise kurze Zeilen verwendet, nicht nur nach Strophigkeit strebt, sondern ungleiche Zeilen so eindeutig bevorzugt, sei es der Wechsel von männlichen und weiblichen

Versen oder der von drei- und vierhebigen. Aber selbst bei längeren Zeilen, wie dem fünfhebigen Jambus, begreift man, warum Goethe die Neuerung Heinses, in der Stanze den italienischen steten Elfsilber durch abwechselnd männliche und weibliche Verse zu ersetzen, so begeistert begrüßte, begreift, weshalb sich das ebenso wie beim Sonett durchsetzte, und begreift, warum auch im deutschen Drama der Blankvers bald mit betonter, bald mit unbetonter Silbe endet. Immer wird damit die Variation im gleichen Grundmaß erleichtert.

Aber die Abwechslung der Zeilen würde doch noch nicht hinreichen, um einen kräftigen Rhythmus zu gewähren, solange alle Zeilen der gleichen Länge auch von der gleichen rhythmischen Art wären. Der Leser erlaube, daß wir nun an einem positiven Beispiel, an einem kurzen Gedicht Brentanos nachzuzeichnen versuchen, wie ein Magier des Rhythmus den Bewegungsverlauf seines Gedichtes gestaltet hat.

Wiegenlied

Singet leise, leise, leise,
Singt ein flüsternd Wiegenlied,
Von dem Monde lernt die Weise,
Der so still am Himmel zieht.

Singt ein Lied so süß gelinde,
Wie die Quellen auf den Kieseln,
Wie die Bienen um die Linde
Summen, murmeln, flüstern, rieseln.

Das kleine Lied ist von einer bezwingenden Gewalt. Wir sind völlig «drin». Dabei enthält es keine großen Gedanken, nicht einmal kleine, glänzt nicht durch sprachliche Prägungen; im Grunde realisieren wir die Bedeutungen kaum. Wir fühlen hier und da etwas auftauchen; irgendwo steigt der Mond auf, ein lichtes Dunkel umfängt uns, harmonische Klänge werden wach. Aber es schließt sich nichts zu einem anschaulichen «Bilde», und es stiften sich keine festen Beziehungen zwischen den Phänomenen, die da auftauchen. Es käme auch etwas Schlimmes heraus, wenn wir es erzwängen: vom Monde soll-

ten wir eine Melodie lernen oder den Quellen ein Lied ab-
lauschen, sollten es sogar den Bienen abhören – die also
nachts herumschwärmen? Es wird uns Unmögliches zugemutet,
wollten wir die Bedeutungen voll erfassen und miteinander
verbinden. Wir dürfen es nicht und tun es auch nicht. Andere
Kräfte verhindern den Vollzug, weil *sie* uns ganz erfüllen, so
daß es nur bei schemenhaften Andeutungen bleibt. Das ist einmal der Klang. Die letzte Zeile etwa ist im Klang von solcher
bezwingenden Steigerung, Aufhellung, von so unzerbrech-
barer Fügung, daß wir nach keiner anderen, etwa logischen
Rechtfertigung ihrer Fügung suchen. Das ganze Gedicht lebt
darüber hinaus von der magischen Wirkung der weichen l- und
m-Laute, der hellen ei-, ie-, ü-Klänge, mit denen einige
dunklere Töne wunderbar kontrastieren. Die andere Macht
aber ist der Rhythmus, in den wir einschwingen. Zu seiner
näheren Erfassung bringen wir den Bewegungsverlauf auf ein-
fache und gewiß arg schematisierende Zeichen. x́ meint eine
volle Hebung, x̀ eine schwache, / bedeutet einen merklichen
Einschnitt im Innern des Verses, ' einen ganz leichten.

<pre>
        x̀ x x́ x/x́ x/x́ x
        x x x́ x x́ x x̀
        x x x́ x'x x x́ x
        x x x́ x x́ x x̀

        x x x̀'x x x x́ x
        x x x́ x'x x x́ x
        x x x́ x'x x x́ x
        x̀ x' x́ x/x́ x/x́ x
</pre>

Eine langsame, in sich dreifach gegliederte Zeile eröffnet das
Gedicht. Es folgt eine Zeile, die nur zwei Hauptbetonungen
besitzt, so daß die Bewegung etwas rascher verläuft, und diese
etwas raschere Bewegung erhält sich, zumal immer die metrische Eingangserhebung ganz schwach zu sprechen ist, so daß
alle Zeilen gleichsam mit zweisilbigem Auftakt beginnen. Die
dritte Zeile stellt eine neue rhythmische Einheit dar: sie gliedert
sich in zwei Teile, jeder von dem Typus x x x x, und ist dadurch

schwingender als die zweite, die von der ihr korrespondierenden vierten Zeile wiederholt wird. Aber das Schwingen, durch
den dritten Vers erweckt, breitet sich jetzt aus. Es ergreift
alles: es *ist* schon das Lied, das – den Bedeutungen nach – erst
gesungen werden soll, es *ist* in den Quellen, *ist* in den Bienen.
Die drei ersten Zeilen der zweiten Strophe sind von diesem
rhythmischen Leitmotiv erfüllt, und um seinen Gleichklang zu
stärken, gibt der Dichter sogar den männlichen Ausgang auf.
Innerhalb der drei Zeilen vollzieht sich noch eine leichte Steigerung. Das erste Kolon endet, gleichsam gestaut, mit betonter Silbe:

Singt ein Lied ...

die nächsten schwingen in einer unbetonten Silbe weiter aus.
Am Ende der dritten Zeile ist das Dringliche des Rhythmus so
stark geworden, daß er fast keinen Halt mehr dulden will, sondern über die Kolon-(Zeilen-)Grenze hinüberzuschwingen
sucht. Bis dann der Anfang der vierten Zeile die Bewegungen
aufhält (wozu die beiden dunklen u wesentlich beitragen): noch
ist die Kraft des Leitmotivs so groß, daß es keine Pause hinter
»Summen» aufkommen läßt; aber nun beruhigt sich die Bewegung völlig, wir entgleiten uns nicht, fassen Fuß in der
Pause hinter «Flüstern» und können in dem ie von rieseln, dem
ersten langen Vokal nach fünf kurzvokaligen Hebungen und
dem längsten des ganzen Gedichtes, die Bewegung ruhig aus-
schwingen und sich runden lassen. Denn die letzte Zeile kehrt
in ihrem rhythmischen Bau hörbar und genau zum Anfang
zurück.

Wer sich den Verlauf des Rhythmus bewußt gemacht hat,
der steht nur um so bewundernder vor dem sprachlichen Wun-
derwerk dieser acht Zeilen und seinem letztlich unfaßbaren
Zusammenwirken aller sprachlichen Kräfte. Der fühlt auch,
daß die Behandlung des Rhythmus das letzte Kapitel einer
Versschule sein muß: weil wir an die Grenze des Sagbaren und
bestimmt des Lern- und Lehrbaren kommen. Beim Rhythmus
kann auch der Dichter nicht mehr zählen und wägen und bedenken: er hat Rhythmus oder hat ihn nicht, oder vielleicht

besser: der Rhythmus seines werdenden Gedichtes hat ihn oder hat ihn nicht.

Und doch kann der Betrachtende wohl noch etwas weiter dringen als bis zur Aufhellung und Nachgestaltung des individuellen Rhythmus in einem Gedicht. Auch hier läßt sich den überindividuellen Ordnungen näherkommen und – wie bei allem Denken, das vom Individuellen her aufzusteigen sucht – zu Typischem gelangen.

RHYTHMUSTYPEN

1. Der fließende Rhythmus

Der Leser wird an den drei eingangs gebrachten Proben und an dem Brentanoschen Gedicht bei allen individuellen Unterschieden etwas Gemeinsames im Bewegungsverlauf gespürt haben; am wenigsten vielleicht in dem Goetheschen Gedicht, aber unüberhörbar in den drei anderen: daß die Bewegung dauernd weiterdrängt, daß so, wie die Hebungen nicht stark aufgegipfelt sind, auch die Pausen nicht sehr weit sind, selbst nicht die Pausen am Strophenende. Eine ständige, ziemlich gleichmäßige Bewegung, horizontale Bewegung geht durch die Gedichte hindurch. Wir erkennen in allen dreien einen gemeinsamen Typus, den wir den *fließenden Rhythmus* nennen. Noch feiner differenzierend können wir bei Spee und Eichendorff von einem offen fließenden Rhythmus sprechen, bei Brentanos Gedicht von einem gerundet fließenden. Kurze Zeilen begünstigen wohl immer den fließenden Rhythmus, und in gleicher Richtung wirken die kurzen, vierzeiligen Strophen. Ihr rhythmischer Eigenwert ist viel geringer als der etwa einer sechszeiligen Strophe oder gar der Stanze. Fließender Rhythmus schafft in dem Leser zugleich die Disposition für klangliche Wirkungen; daß in solchen Gedichten die Bedeutungskraft der Worte und die Meinungskraft der Sätze verhältnismäßig schwach ist, dieser Tatbestand, den wir an Brentanos Gedicht erkannten, scheint für die Sprache in allen Gedichten vom Typ des fließenden Rhythmus wesentlich zu sein.

2. Der bauende Rhythmus

Wieviel schwerer schon das Gewicht langzeiliger Strophen ist,
auch wo sie nur vier Verse aneinanderbinden, mag der Leser
an dem folgenden Gedicht Goethes erkennen, das zugleich als
Probe dafür dient, wie die langen Zeilen ihrerseits nicht mehr
als Einheiten funktionieren, sondern sich aufgliedern.

Der Bräutigam

Um Mitternacht, ich schlief, im Busen wachte
Das liebevolle Herz, als wär es Tag;
Der Tag erschien, mir war, als ob es nachte –
Was ist es mir, so viel er bringen mag?

Sie fehlte ja! mein emsig Tun und Streben,
Für sie allein ertrug ich's durch die Glut
Der heißen Stunde; welch erquicktes Leben
Am kühlen Abend! lohnend war's und gut.

Die Sonne sank, und Hand in Hand verpflichtet
Begrüßten wir den letzten Segensblick,
Und Auge sprach, ins Auge klar gerichtet:
Von Osten, hoffe nur, sie kommt zurück.

Um Mitternacht, der Sterne Glanz geleitet
Im holden Traum zur Schwelle, wo sie ruht.
O sei auch mir dort auszuruhn bereitet!
Wie es auch sei, das Leben, es ist gut.

(Zum Verständnis des Gedichtes sei so viel gesagt: man kann
und soll es gewiß mit dem Bezug auf den Titel «Bräutigam»
lesen; dann bezieht sich das «Sie» in der Welt des Gedichtes auf
ein bestimmtes, lebendes «Sie» und, vom Dichter her, auf das
Urbild der im Leben Geliebten, an deren Schwelle der holde
Traum führt. Man kann und muß es aber zugleich als Elegie
lesen. Und dann bezieht sich das «Sie» auf das Urbild der ab-
geschiedenen Geliebten, und die Schwelle ist die des Grabes.
Nur dann enthüllt sich die Sinnfülle der letzten Zeile, die sich
vom Tode zum Ganzen des Lebens wendet. Goethe schrieb
das Gedicht auf den Dornburger Schlössern, wohin er nach dem
Tode des Großherzogs geflohen war; anderthalb Jahre zuvor
war Charlotte von Stein gestorben.)

Man kann im Stil und in der gedanklichen Fügung Kennzeichen eines zerfließenden «Altersstiles» erkennen; im Rhythmischen aber gewiß nicht. Im Gegenteil, es wirkt in seiner
Ausgewogenheit fast klassisch, und jede Strophe steht als feste,
in sich geschlossene Einheit da. Die Strophengrenzen sind so
fest ausgeprägt, daß jede gleichsam neu und eigen einsetzt: von
einer weiteren Ausnahme abgesehen, sind nur in den Anfangs-
zeilen der vier Strophen alle fünf Hebungen rhythmisch wirksam vorhanden. Sehr regelmäßig liegen auch die Schnitte. Fast
jede Zeile ist in sich gegliedert, und fast immer nach der zweiten Hebung. Der Typus x x́ x x ist das rhythmische Leitmotiv.
Aber alle Eintönigkeit ist gemieden: mit der Hauptform x x́ x x́
variieren die Formen x x́ x x̀, x x̀ x x́, x x́ x x́ x und einmal die
Form x x x x́, deren Unregelmäßigkeit in der letzten Zeile den
Schluß ankündigt. Die übrigen Kola verteilen sich auf die ver-
schiedensten Formen, von denen keine ein entscheidendes
Übergewicht über die andern hat. Aber es werden nicht nur
gleichartige, selbständige Strophen gereiht, sondern es pocht,
wie man deutlich wahrnimmt, ein übergreifender Gesamt-
rhythmus, der nach Abschluß drängt. (Wir sehen darin keine
Eigenart dieses rhythmischen Typus, vielmehr eine individuelle
Eigenart dieses Gedichtes oder, so will es uns scheinen, eine
Eigenart des Dichters.) Die letzte Zeile ist ganz eigener Art.
Nach der Schlußglocke des unregelmäßigen Eingangs bringt
sie zwei schwere Pausen und schließt mit der nur in der Schlußstrophe vorkommenden, wuchtigen Einheit x x x́.

Man darf angesichts eines solchen Gedichtes von BAUENDEM
RHYTHMUS sprechen und hätte wieder einen neuen Typus genannt, dem sich viele Gedichte einordnen. Unschwer läßt sich
erkennen, daß, im ganzen gesehen, die Wirkung des Rhythmus
– und des Klanges – hier verhaltener ist als beim fließenden, daß
dafür andererseits die Bedeutungskraft der Wörter sich gesteigert hat.

3. Der gestaute Rhythmus

Eine ganz andere Art des Rhythmus spricht aus den folgenden Strophen Annettes von Droste-Hülshoff aus dem Schlußgedicht des *Geistlichen Jahres:*

> Mein Lämpchen will
> Verlöschen, und begierig saugt
> Der Docht den letzten Tropfen Öl.
> Ist so mein Leben auch verraucht?
> Eröffnet sich des Grabes Höhl
> Mir schwarz und still?
>
> Wohl in dem Kreis,
> Den dieses Jahres Lauf umzieht,
> Mein Leben bricht, ich wußt es lang!
> Und dennoch hat dies Herz geglüht
> In eitler Leidenschaften Drang!
> Mir brüht der Schweiß
>
> Der tiefsten Angst
> Auf Stirn und Hand. Wie, dämmert feucht
> Ein Stern dort durch die Wolken nicht?
> Wär es der Liebe Stern vielleicht,
> Dir zürnend mit dem trüben Licht,
> Daß du so bangst?
>
> Horch, welch Gesumm?
> Und wieder? Sterbemelodie!
> Die Glocke regt den ehrnen Mund.
> O Herr, ich falle auf das Knie:
> Sei gnädig meiner letzten Stund!
> Das Jahr ist um!

Man kann nicht sagen, daß es an Rhythmus fehlt. Er pocht sehr vernehmlich. Und man kann auch nicht sagen, daß hier der Rhythmus sklavisch dem Metrum folgt. Schon die Zeilen- und Strophensprünge widerlegen das, noch mehr aber die Unregelmäßigkeiten «Horch, welch Gesumm», «Wie, dämmert feucht», in denen das Metrum geradezu vergewaltigt wird. Und keine Rede kann davon sein, daß alle Hebungen erfüllt würden: Stérbemelodíe; Wär es der Líebe Stérn. Dennoch ist es nicht das magische Fließen noch das ebenmäßige Bauen der bisher geschilderten Rhythmen. Gleichmäßigkeit und Ebenmaß wer-

den geradezu gemieden. Die Strophe setzt sich aus ungleichen
Zeilen zusammen, und deren mögliche Bedeutung wird ebenso
wie die der Strophen durch Sprünge wieder aufgehoben. Auch
bei den Kola gibt es keine Leitmotive, in die wir einschwingen
könnten und zu denen die Bewegung immer wieder zurück-
kehrte. Die vier an sich gleich langen Zeilen jeder Strophe sind
niemals gleich oder ähnlich gegliedert. Die rhythmischen Einheiten sind der unterschiedlichsten Art; ganz kurze (an einsilbigen fehlt es nicht) stehen neben beträchtlich langen. Auffällig
häufig und stark sind die Pausen, die die Bewegung immer wieder aufhalten. Dabei sind die Hebungen, wo sie erfüllt sind,
recht kräftig, während die unbetonten Silben sehr abfallen. Es
läßt sich hier von SPRÖDEM oder GESTAUTEM RHYTHMUS
sprechen. Wieder wird das Bemühen, hinter sein Wesen zu
kommen, zu der Sprache geführt, dieser herben, drängenden,
ungelösten Drosteschen Sprache und ihrem Weltbild, in dem
sich so wenige klare Ordnungen begreifen lassen wollen, und
das, auf seiten der Welt, so voller unberechenbarer Wirkungs-
fülle und Unheimlichkeiten, auf seiten des Menschen so voller
Bedrängnis und Angst ist. Bei der Droste scheint uns einmal
der Fall gegeben, mit dem wohl sonst grundsätzlich nicht zu
rechnen ist: daß ein Dichter voll und ganz zu einem der rhythmischen Typen gehört. Man braucht nicht gleich Goethes Fülle
zu beschwören: auch weniger mächtige Dichter zeigen mehrere
rhythmische Gestaltungsweisen. Diese stellen eben überper-
sönliche Ordnungen dar, die der Dichter sich jeweils zu eigen
machen kann, so gewiß er individuelle Dispositionen mit-
bringt. Bei der Droste indes meint man selbst da, wo sie einmal
zu liedhaften Strophen greift, deutlich zu spüren, wie sie sich
gegen den immanenten fließenden Rhythmus sträubt. Drei
Strophen aus dem Gedicht *Das Haus in der Heide* mögen das
erkennen lassen:

Es ist ein Bild, wie still und heiß
Es alte Meister hegten,
Kunstvolle Mönche, und mit Fleiß
Es auf den Goldgrund legten.

Der Zimmermann – die Hirten gleich
Mit ihrem frommen Liede –
Die Jungfrau mit dem Lilienzweig –
Und rings der Gottesfriede. –

Des Sternes wunderlich Geleucht
Aus zarten Wolkenfloren –
Ist etwa hier im Stall vielleicht
Christkindlein heut geboren?

4. Der strömende Rhythmus

Noch einen weiteren Typus glauben wir herausheben zu können. Als Beispiel dienen die ersten Verse von Goethes *Achilleis*,
einem seiner Werke in Hexametern.

Hoch zu Flammen entbrannte die mächtige Lohe noch einmal,
Strebend gegen den Himmel, und Ilios Mauern erschienen
Rot durch die finstere Nacht; der aufgeschichteten Waldung
Ungeheures Gerüst, zusammenstürzend, erregte
Mächtige Glut zuletzt. Da senkten sich Hektors Gebeine
Nieder, und Asche lag der edelste Troer am Boden.

Nun erhob sich Achilleus vom Sitz vor seinem Gezelte,
Wo er die Stunden durchwachte, die nächtlichen, schaute der Flammen
Fernes schreckliches Spiel und des wechselnden Feuers Bewegung,
Ohne die Augen zu wenden von Pergamos rötlicher Feste.
Tief im Herzen empfand er den Haß noch gegen den Toten,
Der ihm den Freund erschlug und der nun bestattet dahinsank.

Der Rhythmus hat sein eigenes Gepräge. Manches klingt gewiß an das «Fließen» an; vor allem das stete Weiterdrängen der
Bewegung. Es ist hier vielleicht noch kräftiger spürbar. Strophen, in denen sich die Bewegung stauen und runden könnte,
gibt es nicht, und die Zeile stellt eine nur sehr schwach funktio-
nierende Einheit dar. Dem ungeübten Leser würde es wohl
schwer fallen, beim Vortrag von Hexametern den Neueinsatz
der Zeilen herauszuhören, der ihm beim fließenden Rhythmus
kaum entgehen würde. Das liegt nicht nur an der Reimlosigkeit.
In Langzeilen sind eben die Enden nicht sinnfälliger als die
Kolongrenzen im Innern. Daß Zeilensprung – wie auch schon

in der Probe aus *Hermann und Dorothea* auf S. 24 – häufig ist, entspricht dem Wesen dieses Rhythmus. Von dem «Fließen» unterscheidet endlich auch der Nachdruck, mit dem hier die Hebungen gesprochen werden. Sie haben ein stärkeres Gewicht und werden im übrigen, dem langsameren Tempo entsprechend, fast alle erfüllt.

Zu solcher Wellenhöhe gehört nun auch eine beträchtliche Amplitude. Die Kola umfassen überwiegend drei Hebungen; da die Senkungen meist zweisilbig sind, entsteht eine beachtliche Weite. Goethe bevorzugt, wie man an den Proben erkennt (und wie es im deutschen Hexameter üblich ist), den Schnitt nach der dritten Hebung. Fast könnte man meinen, daß rhythmische Monotonie die Folge sein müsse. Aber der Hexameter ist kein Alexandriner, der im Deutschen so langweilig wirkt, weil die Zäsur in *jeder* Zeile an der gleichen Stelle liegt. (Im Französischen liegt auch die Zäsur, aber nur der Platz für *eine* Hebung in jeder Halbzeile fest: sie hat auf die letzte Silbe zu fallen. Der Platz der anderen bleibt ebenso wie ihre Zahl unbestimmt, so daß der Vers rhythmisch abwechslungsreich genug ist.) Im Hexameter können die Schnitte auch an anderen Stellen liegen (vgl. S. 25). Weiterhin sorgt die Freiheit: ob ein- oder zweisilbige Senkung, für hinreichende Mannigfaltigkeit. Nimmt man das Papier zu Hilfe, um dem Geheimnis dieses Rhythmus auf die Spur zu kommen, so stellt man tatsächlich fest, daß sich die 19 dreihebigen Kola in unserer Probe (gegen 8 ein-, zwei- und vierhebige) auf sechs verschiedene Formen verteilen; die häufigste erscheint sechsmal, und das kann nicht leicht Eintönigkeit hervorrufen. *Daß* Hexameter durch die übermäßige Wiederholung der gleichen rhythmischen Einheit eintönig wirken können, mögen folgende Zeilen aus *Hermann und Dorothea* zeigen:

Und so kam auch zurück mit seinen Töchtern gefahren
Rasch, an die andere Seite des Markts, der begüterte Nachbar,
An sein erneuertes Haus, der erste Kaufmann des Ortes,
Im geöffneten Wagen (er war in Landau verfertigt).
Lebhaft wurden die Gassen; denn wohl war bevölkert das Städtchen,
Mancher Fabriken befliß man sich da und manches Gewerbes.

Aber solche Stellen sind selten; mit überaus feinem Gefühl variiert Goethe die Schnitte und die Kola. Seine Hexameter können als gutes Beispiel für den strömenden Rhythmus gelten, zu dessen Kennzeichen die beträchtliche Hebungsschwere, die Großwelligkeit und die stetig weiterdrängende Bewegung gehören. Daß der Hexameter ein geeignetes Strombett darstellt, bedarf keiner Erörterung mehr. Aber Goethe und viele neben ihm haben auch in anderen metrischen Formen den strömenden Rhythmus verwirklicht. Hölderlin wählte sich dazu oft die antiken Odenmaße, mit deren Eigengesetzen sich indessen sein Drang nicht immer vertrug. Rilke, bei dem man den Eindruck hat, daß er sich immer reiner zum strömenden Rhythmus entwickelte, hat sich in den *Duineser Elegien* ein eigenes Maß geschaffen. Die Wellen sind hier freilich nicht so weiträumig wie bei Goethe. Strömender Rhythmus erfüllt auch die *Sonette an Orpheus*, wobei nun wiederum ein Gegensatz zu den Erwartungen des gewählten Maßes offenbar wird. Endlich ist der «Freie Rhythmus» eine Form, in der sich diese Bewegung entfalten kann. Verdankt er ihr ja recht eigentlich seine Entstehung, nachdem sich die antiken Odenmaße als zu beengend erwiesen hatten.

Wieder gehört dieser Rhythmus zu einer größeren Struktur, ist Teilelement einer ganzen Sprachschicht. Das Klangliche ist dabei von geringerer Wirkung als beim fließenden Rhythmus und seiner Sprache. Es ist, als ob die dadurch freigewordenen Kräfte dem Bedeutungsgehalt der Wörter und dem Meinungsgehalt der Sätze zugute kämen. Der strömende Rhythmus selber aber schafft oder stärkt doch zumindest die sprachlichen Wesenszüge: Großräumigkeit und eine bis zur Erhabenheit steigerungsfähige Würde kennzeichnen das Wort in dieser Sprachschicht.

METRUM UND RHYTHMUS

Wir haben dem Leser fünf rhythmische Typen vorführen können: den «metrischen» Rhythmus, der im Grunde keiner war, weil hier das Metrum den Rhythmus vergewaltigt hatte, den «fließenden», den «bauenden», den «gestauten» und den «strömenden». Die sich aufdrängende Frage, ob damit alle oder auch nur die wichtigsten Typen erfaßt seien, wagen wir nicht zu beantworten. Wir verraten kein Geheimnis, wenn wir bekennen, daß in diesen Dingen die Wissenschaft vom Verse selber noch im Fluß und an der Arbeit ist. Es ist kein Geheimnis und sollte auch nicht als solches behandelt werden: die Mitarbeit unzünftiger, aber empfänglicher und feinfühliger Liebhaber der Dichtkunst kann gerade hierbei weiter helfen als eine in exotischer Terminologie erstarrte Buchwissenschaft, die das Hören und Sprechen verlernt hat. Wir müssen den Leser sogar warnend darauf hinweisen, daß in diesem letzten Kapitel weniger von gesichertem, wissenschaftlichem Gemeingut und mehr von eigenen Meinungen mitgeteilt wurde, als einer Versschule vielleicht ansteht. Aber es schien richtiger, selbst auf die Gefahr der Unsicherheit und Unzulänglichkeit hin doch einige Wege durch das Neuland des Rhythmus zu bahnen, als an seinem Rande auf gesichertem Boden haltzumachen. Denn das hat sich gezeigt: daß alle Kenntnisse um Hebung und Senkung, um Jambus, Trochäus und Daktylus, um Zeilenmaße und Strophen- und Gedichtformen gewiß notwendig sind, für den Studenten wie den echten Liebhaber und den Dichter, daß diese Kenntnisse aber nur vorläufig sind und aus ihrer Vereinzelung und Starre erst im Rhythmus zum Leben erwachen.

Ein Kapitel über den Rhythmus, so sagten wir, ist das letzte Kapitel vom Verse. In mehrfachem Sinne. Mit ihm ist die Stelle erreicht, wo sich der Vers nicht mehr allein betrachten läßt, sondern die Bezüge zu Sprache und Stil sich immer enger knüpfen und schließlich untrennbar werden. Mit ihm ist aber zugleich die Stelle erreicht, wo es nichts mehr zu lehren und zu lernen gibt. Die Meinung, daß der Dichter überhaupt nichts für sein Handwerk lernen könne, dürfen wir getrost als Symptom einer überholten Auffassung belächeln; wahre Dichter haben ihr nie gehuldigt. Wir haben die Hoffnung, mit der Versschule auch dem jungen Dichter, gleich welchen Lebensalters, nützlich gewesen zu sein. Aber wir huldigen unsererseits nicht der Meinung, daß man alles zum Dichten Notwendige lernen könne. Georg Philipp Harsdörffer, in dem wir einen Vorgänger verehren, verhieß in seinem *Nürnberger Trichter*, «die deutsche Dicht- und Reimkunst in sechs Stunden einzugießen». Wir Enkel Klopstocks und Goethes und der Romantiker können solchen Glauben nicht mehr hegen. Indem wir so in fröhlicher Bescheidung die Feder aus der Hand legen, gilt unser Gruß den echten Dichtern:

> *Schöpft des Dichters reine Hand,*
> *Wasser wird sich ballen.*

REGISTER

SAMMLUNG DALP

Kleines literarisches Lexikon

Vierte neu bearbeitete und stark erweiterte Auflage. In Fort-
führung der von Wolfgang Kayser besorgten 2. und 3. Auflage
herausgegeben von Horst Rüdiger und Erwin Koppen.

1. Band:
Autoren I. Von den Anfängen bis zum 19. Jahrhundert (Sammlung Dalp, Band 15) 1969. 840 S. Geb. Fr./DM 28,80

2. Band:
Autoren II. 20. Jahrhundert
Erster Teil: A–K. (Sammlung Dalp, Band 16a) 1972. 449 S.
Geb. Fr./DM 25,–
Zweiter Teil: L–Z. (Sammlung Dalp, Band 16b) 1973, 550 S.
Geb. Fr./DM 25,–

3. Band:
Sachbegriffe. (Sammlung Dalp, Band 17) 1966. 458 S. Geb.
Fr./DM 15,80

Sonderausgabe der 4. Auflage: Vier Bände mit insgesamt 2297
Seiten. Paperback in Kassette, zusammen Fr./DM 48,–

«Es ist ein Hauptvorzug dieses Nachschlagewerkes, daß es den
jeweiligen Gegenstand oder Autor sachlich zu werten und zu
charakterisieren versucht.»   *Tagesanzeiger*, Zürich

BERN UND MÜNCHEN

Erich Auerbach: Mimesis
Dargestellte Wirklichkeit in der abendländischen Literatur. (Slg.
Dalp 90) 7. Aufl. 525 S. Pbck. Fr./DM 23,80

Hans Bänziger: Frisch und Dürrenmatt
7., neu bearb. u. erw. Aufl. 312 S. Pbck. Fr. 18,80/DM 19,80

Deutsche Literatur im 20. Jahrhundert
Strukturen und Gestalten. Begr. v. H. Friedmann u. O. Mann.
5., veränd. u. erw. Aufl., hrsg. v. O. Mann u. W. Rothe. 2 Bde.:
390 + 456 S. Studienausgabe. Pbck. zus. Fr. 44,–/DM 50,–

Hildegard Emmel: Geschichte des deutschen Romans
Band I. (Slg. Dalp 103) 372 S. Pbck. Fr./DM 22,–
Band II. (Slg. Dalp 105) 354 S. Pbck. Fr./DM 29,80
Band III. (Slg. Dalp 106) 245 S. Pbck. Fr./DM 19,80
Für Interessenten des Gesamtwerks werden die drei Bände zu
einer Paperback-Kassette vereinigt, deren Gesamtpreis Fr./
DM 68,– beträgt.

Expressionismus als Literatur
Gesammelte Studien. Hrsg. v. W. Rothe. 797 S. Studienausgabe.
Pbck. Fr. 34,–/DM 39,–

Manfred Jurgensen: Max Frisch – Die Dramen
2., durchgesehene Aufl. 137 S. Pbck. Fr. 22,–/DM 25,–

Manfred Jurgensen: Max Frisch – Die Romane
Interpretationen. 2., erw. Aufl. 277 S. Pbck. Fr. 28,–/DM 32,–

Manfred Jurgensen: Über Günter Grass
Untersuchungen zur sprachbildlichen Rollenfunktion. 188 S.
Pbck. Fr. 24,–/DM 28,–

Klaus Günther Just: Von der Gründerzeit bis zur Gegenwart
Geschichte der deutschen Literatur seit 1871. (Handbuch der
deutschen Literaturgeschichte, Abtl. Darstellungen, Band 4)
702 S. Ln. Fr. 55,–/DM 58,–

Wolfgang Kayser: Das sprachliche Kunstwerk
Eine Einführung in die Literaturwissenschaft. 18. Aufl. 460 S.
Pbck. Fr./DM 24,–

Wilhelm J. Schwarz: Der Erzähler Heinrich Böll
3., erw. Aufl. 153 S. Pbck. Fr./DM 9,80

Wilhelm J. Schwarz: Der Erzähler Günter Grass
3., erw. Aufl. 173 S. Pbck. Fr./DM 9,80

Wilhelm J. Schwarz: Der Erzähler Uwe Johnson
2., erw. Aufl. 113 S. Pbck. Fr./DM 9,80

Wilhelm J. Schwarz: Der Erzähler Siegfried Lenz
Mit einem Beitrag «Das szenische Werk» von Hans-Jürgen
Greif. 190 S. Pbck. Fr./DM 14,80

Wilhelm J. Schwarz: Der Erzähler Martin Walser
Mit einem Beitrag «Der Dramatiker Martin Walser» von Hell-
muth Karasek. 136 S. Pbck. Fr./DM 9,80

UTB   Uni-Taschenbücher GmbH
Stuttgart

Eine Kooperation von 17 wissenschaftlichen Verlagen. Der Francke Verlag ist an dieser Arbeitsgemeinschaft beteiligt. Aus unserem Beitrag zum UTB-Programm:

Band 4: Wolfgang Kayser, Geschichte des deutschen Verses. Zehn Vorlesungen für Hörer aller Fakultäten. 3. Aufl. 1981. 156 S. DM 7,80

Band 32: Walter Porzig, Das Wunder der Sprache. Probleme, Methoden und Ergebnisse der modernen Sprachwissenschaft, 6., durchges. Aufl. 1975. Hrsg. v. Andreas Jecklin u. Heinz Rupp. 431 S. DM 18,80

Band 121: Manon Maren-Grisebach, Methoden der Literaturwissenschaft. 8., durchgesehene Aufl. 1982. 144 S. DM 8,80

Band 215: Manfred Jurgensen, Deutsche Literaturtheorie der Gegenwart. Georg Lukács – Hans Mayer – Emil Steiger – Fritz Strich. 1973. 206 S. DM 15,80

Band 311: Horst S. Daemmrich, Literaturkritik in Theorie und Praxis. 1974. 228 S. DM 15,80

Band 312: Max Lüthi, Das europäische Volksmärchen. Form und Wesen. 7., durchgesehene Aufl. 1981. 144 S. DM 9,80

Band 484: Gerhard Kaiser, Aufklärung – Empfindsamkeit – Sturm und Drang (Geschichte der dt. Literatur, hrsg. von Gerhard Kaiser, Bd. 3) 3., überarb. Aufl. 1979. 363 S. DM 22,80

Band 694: Claude Hill, Bertolt Brecht. 1978. 230 S. DM 14,80

Band 1034: Klaus Weimar, Enzyklopädie der Literaturwissenschaft. 1980. 231 S. DM 19,80

Das UTB-Gesamtverzeichnis erhalten Sie bei Ihrem Buchhändler oder direkt von der UTB, 7 Stuttgart 80, Postfach 801 124